# Alles

Van Kevin Canty verschenen bij De Harmonie

*Een vreemde in deze wereld* (verhalen)
*In het diepe* (roman)
*Twintig graden vorst* (roman)
*Honeymoon* (verhalen)
*Winslow verliefd* (roman)
*Waar het geld bleef* (verhalen)

Kevin Canty

# *Alles*

Vertaling Frans van der Wiel

De Harmonie, Amsterdam

Voor Buck Crain

*De vijfde juli liepen ze* naar de rivier, RL en June, en gingen op de rotsen met een fles Johnnie Walker Red over Taylor zitten praten. Vijf juli was Taylors verjaardag en ze deden dit ieder jaar. Hij zou vijftig zijn geworden. RL was zijn jeugdvriend geweest, June zijn vrouw. Hij was al elf jaar dood.

Deze rivierarm was vroeger een van Taylors favoriete visstekjes, maar vijf of zes jaar geleden had een biermagnaat uit Sacramento vlak aan de oever een blokhuis van twintig kamers gebouwd en was daarna met een bulldozer de rivier in gereden om een strekdam op te werpen die moest voorkomen dat zijn huis in de plomp viel. Daardoor werd alle stroming uit de zijtak naar de hoofdrivier gedreven. Nog een enkele grote vis hield zich diep in de geul schuil, maar verder zat er voornamelijk katvis. Toch was het een mooie plek om er op een lange avond te zitten, wanneer de schaduw van de hoge populieren geleidelijk dieper werd op het groene water. Een mooie plek zolang je niet naar het blokhutpaleis keek. Ze zaten op de rotsen te kijken hoe het water voorbijkroop, het frisse klateren van rivierwater over kiezels.

Ik wou, ik wou... zei June.

Wat wou je? vroeg RL.

Ik wou dat ik een sigaret had, zei ze lachend. June rookte precies één dag per jaar en dit was die dag. RL pakte er eentje, reikte hem aan en gaf haar vuur. Zelf rookte hij sigaren. Hij had het pakje speciaal voor haar gekocht. Ze keken met z'n tweeën de rook na die de stille lucht in kringelde. RL kon nog net de vrachtwagens horen op de grote weg, anderhalve kilometer verderop. Het geluid gaf hem altijd een eenzaam gevoel, de gedachte aan zoveel snelweg, zoveel Amerikaanse nacht daar ergens.

Die verjaardagen, zei June. Die blijven me achtervolgen. Hij is nu al langer dood dan ik hem heb gekend.

Nee, toch?

Ja, ik heb het gisteravond uitgerekend. Hij was achtentwintig toen ik hem leerde kennen. Van achtentwintig tot negenendertig, van negenendertig tot vijftig. Het lijkt niet zo lang, maar het is wel zo.

Lang dood, zei RL. Toch heb ik soms nog dat als ik een hoek omsla, dat ik hem dan op de stoep zie staan. Weet je, zit ik gewoon ergens thuis en denk ik, even bij Taylor langs, kijken of hij misschien zin heeft om een biertje te gaan pakken. In de Mo Club. Kijken of ik zijn pick-up kan lenen.

Dat heb ik niet, zei June. Niet meer.

Ze pakte de vierkante whiskyfles en nam een bedeesd slokje. RL bewonderde het werken van haar keel, het holletje onder aan haar hals, haar mooie sleutelbeen. Ze was jonger dan Taylor en hij en nog steeds een verdraaid knappe meid.

Ik ga de laatste tijd weer naar de kerk, zei ze.

Ga weg.

Ik meen het. 's Zondagochtends tien uur.

Welke kerk?

June bloosde licht. Ze was een van die doorzichtige blondines bij wie elk gevoel, flets of hartstochtelijk, van haar huid was af te lezen. Als ze huilde werd ze vlekkerig rood. RL had haar zien huilen, maar niet vaak.

De katholieke, zei June. Raar, ik weet het. Een paar meisjes van het werk hebben me zover gekregen.

Hebben ze je geronseld? Mensenoffers in de kelder en dergelijke?

Ik geloof dat ze daarmee gestopt zijn.

Ik hoor wel eens andere berichten.

Ik weet zeker dat jij het niks zou vinden, zei June. Ik bedoel, zelfs het goeie erin zou je niks vinden, en het draait allemaal om goed doen en aardig zijn voor mensen in Midden-Amerika en zo. Ze zijn zo verdomde serieus! Maar weet je, dat bevalt me er juist aan.

Je hebt altijd al een serieus trekje gehad.

En jij bent altijd een cynische rotzak geweest.

Maar een hart van goud, zei RL. Dat ben ik.

Nee, zei June. Dat is iemand anders.

Tien uur in de avond en de zon was helemaal onder, maar de hemel had een prachtig diep donkerblauw licht waar de eerste sterren doorheen prikten. De lucht was warm als het windstil was en dan opeens blies de rivier er een koel briesje door dat de bladeren van de populieren aan het ruisen en het water aan het rimpelen bracht. RL voelde een droefheid in zijn hart die op muziek leek, droeve muziek. Taylor was dood, almaar dood. Hij had elf jaar met die droefheid geleefd tot de scherpe kanten eraf geslepen waren, als de riviersteen die hij in zijn hand had, nog warm van de dag. Voor RL was het bijna een genoegen, het genoegen om iets onaanvechtbaars en concreets aan te raken. Hij herinnerde zich het gevoel van toen hij in de wachtkamer van het ziekenhuis zat en haar hand vasthield en wachtte, dat rauwe gevoel dat uit hem gescheurd werd. *Het is als ijs om mijn hart*, dacht hij. Een regel uit een liedje dat hem te binnen schoot. Zo was het niet helemaal.

June zei, dan sta ik daar een volksliedje te zingen met aan elke hand een oud dametje en dan denk ik: Wanneer ben ik zo geworden? Vredesdemonstranten en vogelaars.

Verstandige schoenen, wed ik.

Héél verstandige schoenen, zei June.

En op dat moment gingen de struiken uiteen aan de overkant van de rivierarm, op het eiland dat tussen hen en de hoofdstroom lag, en een lang, ernstig kijkend donkerharig meisje met een honkbalpet en een werphengel stapte de schemering in. Het was RL's dochter Layla, negentien jaar oud. In short en op sandalen waadde ze op lange bruine benen door de geul waarvan het water tot aan de zoom van haar short danste. Ze bewoog zich bijna geruisloos door het water, een vissersgewoonte. *De forel is een bijzonder nerveuze vis,* herinnerde hij zich; een zin uit een boek. Ze droeg een T-shirt van de Montana Grizzlies en een soort halsketting waaraan haar onthaaktang, haar knippertje en het vliegvet hingen.

Nog wat gevangen? riep RL.

Layla stak de rest van de geul over voor ze antwoord gaf. Ze had macht over vissen omdat ze respect voor ze had: ze liep niet door hun standplaatsen, schreeuwde niet op stille avonden. Ze wist waar ze naar moest kijken om de licht stijgende vis te ontdekken.

Vooral kleintjes en witvis, zei Layla. Ze stijgen al een tijdje niet meer. Ik heb er een van vijfenveertig centimeter opgehaald uit die zoom voorbij de kant, maar dat was meteen nadat we hier kwamen. Ben je dronken?

Nog niet, zei RL. Maar ik hou het niet voor onmogelijk.

Ik ga naar het huis, zei Layla.

Ach, kom even hier zitten, zei June. Ik heb je sinds kerst niet meer gezien. Hoe bevalt het studentenleven?

O, weet je, zei Layla. Studentikoos.

En blijf je het komende jaar op de campus?

Layla aanvaardde haar lot, zette haar werphengel zorgvuldig tegen een boom en kwam even bij hen zitten, in kleermakerszit op de grond, klaar om weg te wezen.

Ik heb met een paar vriendinnen iets in Ballard gevonden, zei Layla. Een soort huisje. Ik heb zelfs een scooter om op en neer naar college te gaan, het is *très, très* cool, behalve als het regent.

Het regent toch niet zoveel in Seattle?

Je hebt er minder last van dan je zou denken. Ik bedoel, jeetje, erger dan hier in februari wordt het nooit. In ieder geval breekt de zon af en toe door. Geen ijsmist.

Praat me er niet van, zei RL. Het wordt nooit meer winter.

June zei: Hoe staat het met je liefdesleven?

Geen idee, zei Layla. En met dat van jou?

En dat kwam zo bitter en scherp uit haar mond dat ze er allemaal stil van waren. June had een zere plek geraakt maar RL wist niet wat het was. Dergelijk soort geheimen zou Layla nooit met hem delen. Het bracht hem in verwarring, het verdroot hem dat vrouwen zo gesloten tegen hem waren. Ze was zijn dochter, zijn liefde en toch een raadsel.

Layla sprong met één prachtbeweging overeind.

Ik heb ontzettende dorst, zei ze. Ik zie jullie in het huis.

Ze pakte haar werphengel en vertrok meteen, met een spoor van negatief geladen ionen in haar kielzog. Ze had het er niet zo uit willen flappen, bedacht RL, maar eenmaal gezegd, bleef het gezegd en toen wisten ze geen van allen wat ze moesten doen.

Toen Layla uit het zicht was, zei June: Wat spijt me dat. Het was niet mijn bedoeling haar voor het blok te zetten.

Het lag niet aan jou, zei RL. Er is de hele zomer al bijna geen land met haar te bezeilen.

Er is iets met haar aan de hand.

Wie het weet, mag het zeggen, zei RL.

Is ze bij haar moeder geweest sinds ze terug is?

Niet dat ik weet. Zoiets vertelt ze me niet altijd. Mijn contact met Dawn is de laatste tijd nogal hopeloos.

Heeft ze iemand met wie ze wel praat?

RL voelde een bekende onbehaaglijkheid in zich opko men, bijna woede. Hij wist verdomd goed dat hij als vader, of als combinatie van vader en moeder, voor Layla tekortschoot. Dat had men hem laten voelen sinds ze in de brugklas zat en haar moeder ervandoor was gegaan met een bosbrandbestrijder die Parker heette. Je deed het nooit goed. Hij had zijn uiterste best gedaan met Layla, was naar de kooruitvoeringen en ouderavonden geweest, had alles uit de kast gehaald om haar te leren hoe je iemand moest worden. Toch lieten alle vrouwen op de wereld hem weten dat hij nooit genoeg zou zijn. Dat accepteerde RL wel, maar hij wilde niet aan zijn tekortkomingen worden herinnerd. Hij was ze niet vergeten.

June ging er niet op door. De sigaar van RL was uitgegaan en hij stak hem weer aan in een dikke wolk rook, pakte de vierkante fles Johnnie Walker en nam een slok. Ze hadden dit ooit allemaal samen gedaan, Dawn en hij, Taylor en June. Nog voor Layla er was. Weer voelde hij die gladgeslepen droefheid vanbinnen, om de dode Taylor, om Layla, om de eenzame June en de hoop die ze met z'n allen daar aan de rivier hadden gevoeld. Ze zouden gelukkig worden, ze zouden een avontuurlijk en lang leven hebben en verhalen te vertellen hebben. Maar hij leefde telkens opnieuw hetzelfde verhaal. Taylor was dood, Dawn was zo ongelukkig dat ze scheel keek van de druk waaronder ze leefde. Alleen Layla, de schuwe ster... RL hield echt van haar. Daar vond hij troost in.

Ook troost in de blauwe gloed van de zomerhemel, het licht dat eindelijk begon te doven, de rode gloed van zijn sigaar wanneer hij een trekje nam – net een rode hommel – en de maan die uit de bomen omhoog probeerde te klimmen, zij tweeën, hij en June, bestreept en verschuivend in de maanschaduw. Hij zou werkelijk nergens anders willen zijn dan hier.

Weet je nog die keer dat we vanuit Great Falls op weg gingen naar Glacier? zei RL. Had jij toen niet die cabriolet geleend?

Hou op, zei ze.

Waarmee?

Ik wil hiermee ophouden, zei ze.

RL hoorde het, maar had het niet echt gehoord. Al de tijd dat hij aan iets had zitten denken, had zij aan iets totaal anders gedacht. Hij knipperde de rook uit zijn ogen en zei: Hoe bedoel je?

Dit is voor mij de laatste keer, zei June. Ik kom volgend jaar niet meer. Taylor was een fijne man maar hij is dood.

Dat weet ik, zei RL. Dacht je dat ik dat niet wist?

Nou, ik wist het niet. Tot een tijdje geleden. Zoals je net ook zei, Robert, ik sloeg een hoek om en verwachtte dan dat hij er was, begrijp je? Ik ging naar bed en verwachtte half en half dat hij erin lag. Midden in de nacht werd ik wakker met mijn kussen in mijn armen, dromend dat hij het was. Ik zet er een punt achter.

Hij kon in het toenemende donker niet zien hoe ze keek, maar hij zag hoe ze haar hand naar haar keel bracht, wat ze altijd deed wanneer ze verdrietig of bezorgd was. Hij zei: Je kunt er niet zomaar een punt achter zetten.

Ik wel, zei ze. Ik doe het.

Alsof je een kraan dichtdraait.

Nee, zei ze. Zo gaat het beslist niet. Het gaat gewoon, tja, als druppels op een steen. Het duurt een tijd, maar... Je wordt op een ochtend wakker en het is er niet meer. Ik bedoel, mijn herinneringen aan hem houden niet op. Mijn liefde voor hem zal niet ophouden.

Nee.

Maar ik hou wel op met te doen alsof hij er nog is. Alsof hij zo binnen kan lopen en alles weer goed zou worden.

Zo heb je dat niet gedaan, zei RL. Hij voelde iets tussen hen wegglippen en dat wilde hij niet. Hij zei: Je hebt je werk, je vrienden.

O, verdomme, zei ze. Ik loop dit al een week in gedachten te repeteren en ik weet dat het er ongelukkig uitkomt. Maar goed. Je bent een goeie vent en je bent een goeie vriend voor me geweest en ik heb je nodig gehad, dat weet je. Je was er altijd wanneer ik je nodig had. Maar jezus, Robert, jij hebt Layla en Dawn en hoe heet ze; je hebt je zaak; je hebt je vrienden en je tripjes naar New Orleans en dergelijke, je bent een drukbezet man. Ik slaap alléén, Robert, praktisch elke nacht. Meer dan je wilt weten, dat weet ik wel, maar toch. Ik ga een keer dood, ook dat weet ik, misschien over niet al te lange tijd, en ik zal alléén doodgaan want dat doet iedereen. Maar ik wil niet alléén leven.

Het spijt me, zei RL.

Nee, zie je, daar gaat het niet om! Je hoeft nergens spijt van te hebben, je bent een goeie vent, Robert! Ik weet dat ik me onhandig uitdruk. Het loopt allemaal door elkaar in mijn hoofd.

Ze vervielen weer in stilzwijgen, water over stenen, een bries in de bladeren van de populieren.

Sigaret, zei ze.

Hij stak er een aan met de punt van zijn sigaar en gaf haar die.

RL had het gevoel dat dit niet gebeurde, een onwezenlijk moment was. Er kwam woede in hem op, al wist hij niet waarom, of op wie. Niet op June. Misschien op zichzelf omdat hij op de een of andere manier weer tekort was geschoten. Hij begreep niet waarin. Hij had nooit geprobeerd genoeg voor haar te zijn, maar nu begreep hij dat hij het niet was. Hij had zijn best gedaan, maar dat was niet genoeg.

Whisky, zei RL, en ze gaf hem de fles.

June zei: Mensen gaan dood doordat ze de nachthemel niet zien, hè?

Daar gaan ze niet dood aan.

Ze gaan vanbinnen dood en ze weten het niet eens.

Maar ze gaan er niet dood aan. Ze worden alleen gevoelloos.

Ik niet, zei ze. Ze boog zich naar hem toe en pakte de fles uit zijn hand, stond van het rotsblok op en waadde het water in. RL rilde toen hij het koude water tegen haar blote dijen zag kletsen, voelde zijn ballen even meelevend samenkrimpen. Hij wist niet wat ze aan het doen was. Ze deed dramatisch, en ze was geen dramatische vrouw.

Daar gaat-ie, zei June. Ik laat het officieel los. Allemaal. Ik ben niet meer iemands weduwe.

Ze schroefde de fles open en goot de resterende whisky in de rivier, ruim een halve fles verdween zo in het water. Ze hield de fles boven het water tot de laatste druppel eruit was. RL had het gevoel dat hij degene was die achtergelaten werd. Ze zei hem vaarwel. Hij wist niet of hij dat goed zag, maar zijn hart kromp samen en hij wilde haar tegenhouden. *Niet weggaan*, wilde hij zeggen. *Blijf hier bij mij. Het komt allemaal goed.*

Maar hij zei niets. Zodra de laatste whisky vergoten was, draaide ze de fles weer dicht en een ogenblik lang wilde ze ermee gaan gooien, dat zag hij. Uiteindelijk deed ze het niet. Ze was niet zo'n dramatype dat gebroken glas over de rivieroever zou uitstrooien alleen maar om iets te onderstrepen. Iemand zou zich eraan kunnen bezeren. Dus ze hield de fles vast, kwam druipend uit het water en gaf RL een zoen, wat hem verraste. Dat deed ze meestal niet. Hij stond in haar omarming en voelde haar rillen in de nachtlucht.

Het komt wel goed, zei ze zachtjes, alsof hij een klein kind was, alsof RL degene was die getroost moest worden. Ze zei: Het komt allemaal goed.

Maar in zijn hart was RL er nog niet zo zeker van.

*

*Layla zette haar werphengel* op de veranda van Junes huis en ging naar binnen. De voordeur zat zoals gewoonlijk niet op slot. Het huis lag tien minuten lopen van de rivier over een hooiland dat naar zoet gras rook, en buiten vervaagde de laatste streep schemering. Ze had onder het laatste blosje dag en de opkomende sterren voldoende kunnen zien om het pad te volgen. Maar toen ze binnen eenmaal het licht had aangedaan, werd de nacht achter de ramen egaal zwart.

De borden stonden op tafel, maïskolven en karbonadebotten. Layla zou straks afwassen, zou de botten bewaren voor Rosco, Junes oude golden retriever. Straks zou ze Rosco binnenlaten, vanuit zijn hok achter het huis.

Eerst liep ze terug naar de slaapkamer, waar June haar computer had staan, om te zien of er nog nieuws was uit Rusland. Het was halfnegen in de ochtend in Sint-Petersburg, morgen al. Daniel zou wakker zijn, tenzij hij uitsliep. Alléén, tenzij dat niet zo was. Layla wist dat ze zich geen zorgen moest maken, maar deed het wel. Ze had er niet echt reden toe, behalve dat er nog steeds niets was toen ze haar e-mail ophaalde, en al twee dagen niet. Op een hotelkamer in Rusland met een tiental andere aankomende dichters. Daniel met zijn glanzende bruine haar en zijn diepe, peinzende ogen. Wat was er met haar dat ze zich niet gewoon kon ontspannen en hem vertrouwen? (Maar stel dat er met haar helemaal niets was? Stel dat er iets met hem was, iets wat ze wist en niet kon toegeven?)

Negentien jaar, net propedeuse. Daniel deed zijn postdoctoraal.

Fuck, zei ze hardop. Fuck, fuck, fuck.

Het woord weerkaatste tegen de keurige muren van de slaapkamer. June hield haar huis netjes. Een beetje veel dons en bloemetjes als een meisjesslaapkamer, kant op het nachtkastje, al lagen er ook boeken op, met een grote, praktische lamp erboven. Een verrassende verzameling parfums en poeders op de toilettafel, en een goed belichte spiegel. Dat leek niets voor een vrouw als June – ze was het type groen gras en frisse lucht, praktisch kort haar – maar Layla begreep dat het nooit zo eenvoudig lag. Dit hele huis deed een beetje al te verstandig aan, een beetje te opgeruimd, bijna angstvallig. Zo was June niet, maar zo was ze bijna, de enge wereld buiten houden met schone magie. Terwijl ze dit dacht realiseerde Layla zich dat ze waarschijnlijk nog visslijm aan haar handen had en daarmee het toetsenbord van Junes computer had aangeraakt wat, als het ging zoals ze eerder had meegemaakt, binnen een dag of zo heel, heel erg kon gaan stinken.

Daniel was zeven jaar ouder dan Layla en werkelijk iedereen die ervan wist vond het maar niks. Wie weet belazerde hij haar op ditzelfde moment. Gaan mensen vreemd om halfnegen in de ochtend? Wel als ze het soort mensen zijn dat vreemdgaat.

Layla liet de oude hond binnen en drukte haar gezicht in zijn nek, in de zachte, naar hond geurende vacht. Rosco, half hond, half haardkleed, liet zich gewillig vasthouden. Maar er kwam een sprankel in zijn ogen toen ze de karbonadebotten van tafel pakte, een pupachtige alertheid en kwispeling. Ze plaagde hem met de botten, gaf ze toen maar. Laat die hond toch hebben wat hij hebben wil. Layla stond aan de gootsteen tot haar ellebogen in warm schuimend water en bedacht dat ze kreeg wat ze verdiende. Leer voor jezelf op te komen. Geef jezelf niet zomaar weg, als een boekje motellucifers. Buiten in de nacht was er beweging: de vleermuizen en vogels en uilen. Layla had een keer vijf uilen in dezelfde dode boom zien zitten, vlak bij de rivier, precies waar June en haar vader nu zaten. Veldmuizen op jacht naar eten renden voor hun leven. Met vooruitgestoken klauwen dook de uil uit de nacht omlaag.

Ik, de kleine veldmuis, dacht Layla.

Om haar heen deed het huis tevreden en slaperig aan. Taylor en June hadden het kort na hun trouwen als bouwval gekocht, dichtgetimmerde ramen en overal muizenkeutels. Layla had de foto's gezien, het was nauwelijks te geloven. Het gebeente van het huis was goed, zoals June altijd zei: een pleisterplaats op de oude Mullan Road, een van de eerste huizen in de vallei. Het werd omringd door lange, mooie schuren en armoedige huisjes voor de knechts, een hoge, koele wilg op het erf. In de grote schuur kon je zien dat de planken waren gezaagd uit de ponderosadennen die vroeger in de vallei groeiden, overspanningen van ruim twintig meter uit één boom. Sommige van zulke hoge bomen groeiden hier nog, niet veel. De nieuwe fluthuizen drongen van alle kanten op.

Terwijl ze afwast, niet aan Rusland probeert te denken, voelt ze de rust om zich heen.

June en Taylor hebben deze plek zelf opgeknapt, met eigen handen. Dat was in ieder geval het verhaal. Soms had Layla het gevoel dat ze geen jeugd of geschiedenis had, alleen wat losse verhalen die ze zelf aan elkaar moest passen. Ze wist nooit wat er waar van was, laat staan wat de hele waarheid was. Met zijn tweeën hier 's avonds en in de weekends en vakanties schilderen en stuccen. RL en Taylor op een zomeravond op het dak, dakspanen spijkeren. RL en Dawn, gelukkig samen op de veranda. Het sloopfeest, toen ze hadden besloten een van de oude pachtersschuren af te breken om een uitzicht vanaf het erf te creëren. June en Taylor hadden iedereen die ze kenden uitgenodigd om een koevoet of moker mee te nemen en ze sloopten de boel en staken er de brand in, onder het genot van kip, bier en livemuziek. Was Layla erbij? Ze had er geen concrete herinnering aan, maar ze meende zich een groot vuur te herinneren, geschreeuw en gelach, de brandweermannen eromheen...

Misschien was het maar een droom, soms kwamen haar gedachten tot leven terwijl ze sliep en bleef iets van wat ze had gehoord of in een boek had gelezen, in haar geest voortleven als een herinnering nadat de droom was vervlogen. Een echte herinnering, een die ze kon voelen. De hitte van het vuur op haar gezicht, de rook en het bier. Ze had het haar moeder een keer gevraagd, en twee van de drie vroegste dingen die ze zich uit haar leven dacht te herinneren waren helemaal nooit gebeurd. Of misschien was Dawn ze gewoon vergeten. Of had Layla ze allemaal verzonnen. Nergens was er echt houvast, nergens kon ze bij, alleen dromen en herinneringen en verlangens. En nu verlangde ze naar Daniel.

Ze zou het haar vader vragen zodra hij van de rivier terugkwam, of dat sloopfeest echt had plaatsgevonden. Ze wist bijna zeker van wel. Bijna.

*

*Toen ze weg waren*, zat June alleen in haar keuken. Ze had het flink verpest. Ze had hem pijn gedaan. Ergens, op een veilige plek, voelde ze een drang om zichzelf ter vergelding pijn te doen. Ze zou het niet doen. Maar ze kon het zich voorstellen: het mes uit het messenblok halen waarin het sliep, vlijmscherp, het gevoel van het koude staal op haar huid en het verrassende gemak waarmee een scherp lemmet... Ze zou het niet doen. Ze zat halfdronken en doorgerookt en misselijk van zichzelf aan de tafel. Waarom moest ze altijd zo moeilijk doen? Waarom niet de liefde accepteren die ze kreeg?

Haar oude hond sliep aan haar voeten. Ze schonk zich een glas wijn in uit de tapdoos in de koelkast. Het was halftwaalf en ze moest er om zeven uur uit voor haar werk, maar ze wist dat ze niet zou slapen. Haar kleren stonden haar niet en haar haar was dat van een oud en vermoeid ander mens. Dit oude huis paste als een schelp, als een slangenhuid om haar heen, iets wat ze moest splijten, breken, ontgroeien. In elkaar slaan, uitkotsen, stukhakken, verscheuren. June zat vast.

Rosco keek naar haar op. Toen legde hij zijn voddige kop

weer op de keukenvloer te rusten en slaakte een lange, genoeglijke zucht.

Als hij doodging zou June het huis verkopen. Ze zou het liever nu meteen doen, maar hij zou de verhuizing nooit overleven. Hij had nooit ergens anders gewoond, had geen idee van auto's of valse honden. Hij had wel eens gevochten toen de buren een border collie hadden, maar hij was groot genoeg om die aan te kunnen. Nooit narigheid, behalve de keer dat hij in het kippenhok sprong. Een paar keer achter herten aanging. Het was vreemd om te bedenken dat Rosco in wezen een jager was, een groepsdier, dat achter jonge herten aanging, ze omsingelde, doodbeet. Bijna zeker één keer, dacht ze. Misschien twee. 's Nachts aan het moorden.

Als Rosco dood was zou ze naar de stad verhuizen, ergens waar leven was, waar menselijk rumoer was. Hier was het de koelkast die aan- en afsloeg, de wind om het dak, haar eigen zachte voetstappen op de gebeitste grenen vloer. June dronk haar wijn met één lange teug uit en maakte aanstalten om naar bed te gaan. Toen realiseerde ze zich dat ze nog geen greintje slaap had, nog steeds niet. Ze stond in haar keuken, tussen haar stoel bij de tafel en de koelkast, in dubio of ze nog een glas wijn zou inschenken. Ze stond er bijna verlamd. Het was een volstrekt onbelangrijke beslissing, maar die kon ze niet nemen. Helemaal alleen en verlamd te midden van alles: de nacht, haar leven, haar keuken.

Een minuut later schonk ze zich toch maar een glas wijn in en ging weer aan de keukentafel zitten. June dacht bij zichzelf: Ik zit hier alleen te wachten tot de hond doodgaat.

*

*In augustus* zakten RL en Edgar een stuk van de Bitterroot af om te zien of het doenlijk was. Het had zes weken niet geregend en de sproei-installaties hadden het leven uit de rivier gezogen om de weiden groen te houden. De rivier vlocht zich tussen de grindbanken door – rivierbodem toen er water was om ze te bedekken, maar nu woestijn. RL kon er razend om worden. Hij hield van deze rivier, hoe verraderlijk en bedrieglijk ook, en nu was die beledigd, ingekrompen.

Edgar gidste voor RL's winkel, was twintig jaar jonger en net van de kunstacademie. Hij was een schilder, mager en scherp getekend, snelle handen. Hij had een feilloos instinct voor vis. Bij hem voelde RL zich dik en oud en traag, wat hij ook allemaal was. Oliver Hardy tegenover Edgars Stan Laurel. Edgar zou de volgende ochtend een paar klanten meenemen en daarom dreven hij en RL deze avond de rivier af om even een kijkje te nemen. Ze hadden een half kratje bier op ijs meegenomen in RL's oudste en slechtste rubberboot, een merkloze Taiwanese aanbieding die al op twaalf plekken was geplakt. Als er gesleept moest worden, dan was dit er de boot voor. Ze gingen aan het bier zodra de boot van de helling af was, een uur of vier op een warme, zonnige, rokerige namiddag. Er waren grote bosbranden de kant van Darby en de Selway Wilderness op, en het dal vulde zich met rook als een kom vuile melk. De bergen in de verte verdwenen in een grijsbruin waas.

Gorilla, zei Edgar vanaf de roeibank.

Geen denken aan, zei RL.

Afrikaanse laaglandgorilla.

RL zweeg even om uit te werpen, een grote schuimvlieg met een San Juanworm aan een onderlijn. Dit was de meest luie, decadente manier van vissen die er was: in een stoel op een boot met een koud biertje in de hand, grote glimmers tot bij de oever werpen en door de rivier laten meevoeren. Het enige wat er nog aan ontbrak was een sigaar, maar daar had hij plannen voor.

RL zei: Heb je ooit een grizzlybeer van dichtbij gezien?

In Glacier, ja.

Zeker op een kilometer afstand, zei RL. En een parkwachter naast je met een verdragend geweer in de aanslag.

Wel wat dichterbij.

Ik was een keer in de White River aan het vissen, zei RL, midden in de Bob Marshall Wilderness. Ik stond in de rivier, in waadpak, en had opeens dat rare ogen-in-mijn-rug-gevoel, weet je wel, alsof ik voelde dat er iets naar me keek.

Een grizzlybeer.

Vlak bij op de oever, zei RL. Zo groot als een stoomlocomotief.

Wat heb je gedaan?

Hij was weg nog voor ik in mijn broek kon schijten, zei RL. Draaide zich om en ging ervandoor. Als ik ooit heb gedacht dat je kon proberen zo'n beest voor te blijven, dan is dat nu wel over.

Zo snel.

Als een renpaard. Ik meen het, hij was al weg voor ik bang begon te worden, maar toen het zover was, bleef ik bang. Ik bedoel, ik heb geen oog meer dichtgedaan tot ik weer bij mijn auto was. Ik weet niet waarom hij zo wegrende. Niet omdat hij bang was van mij.

Hij had je zeker even geroken.

Kan best, zei RL. Na een paar nachten op de grond slapen komt mijn mannengeur lekker los.

Hij praatte tegen Edgar, maar hield zijn blik strak op de vlieg gericht, die net onder de rivieroever dreef. Hij had nog niks zien stijgen. Dat deed er niet zo toe met een dikke lokker als de schuimvlieg. Vanuit zijn ooghoeken keek hij uit naar beschutte plekken, een stronk of boomstam of overhangende struik, waar een dikke forel zich kon schuilhouden. Hij was gezond en energiek en deed wat hij graag deed, maar toen hij aan die beer dacht, werd er vanbinnen nog steeds iets week en vloeibaar. Die beer straalde een kracht uit als licht of hitte. De klauwen en tanden en snelheid en grootte deden er niet eens toe. De echte kracht zat in iets anders, onzichtbaar.

De vlieg verdween en onmiddellijk zette RL de haak, voelde het trekken van een levend ding aan het andere eind, zag de zilveren flits bruin worden in het groene water. Een forel van zevenendertig of veertig centimeter had de worm gepakt. Een regenboog. RL haalde hem snel drillend naar de boot. Het water was deze tijd van het jaar warm, de vissen vochten niet zo hard als in oktober. Hij trok hem naar de dolboord, maakte zijn handen nat en hees hem even op, alleen om de vlieg eruit te krijgen. En weg was de vis, terug naar zijn diepe water, zijn zilverig licht. Dank je, dacht RL, een klein automatisch gebaar als dat van een honkballer die een kruisje slaat voor hij aan slag komt. Hij wist niet wie hij bedankte, alleen dat hij deze rivier niet zelf had gemaakt. Er bestond zoiets als genade. RL voelde het.

Probeer iets geels, zei Edgar.

Waarom?

Ik weet niet, het werkte gisteren. Iets groots, harigs en geels.

Madame X.

Ja, goed.

RL knoopte de grote lelijke vlieg gehoorzaam vast. RL

wist net zo goed als wie ook wanneer de waterinsecten op deze rivier uitkwamen en hij kon behoorlijke imitaties binden, maar er waren ook tijden dat er nauwelijks iets gebeurde en op dat punt was Edgar hem de baas. Zijn intuïtie was goud waard.

Weet je wat het met een gorilla is, zei Edgar, een gorilla is slím.

Nou en? Aan slimheid heb je niet veel als de stoomloc over je heen dendert.

Ze gebruiken werktuigen.

Slimheid doet er niet toe, zei RL. Instinct, daar draait het om. Ik ben zo slim als de pest wanneer ik in de winkel zit of een boek lees, maar hier op de rivier ben ik meestal niet zo slim als zo'n stomme vis. Vissenhersens zijn niet meer dan een bobbeltje in hun ruggenmerg, maar zet hem in zijn element en hij weet alles wat hij moet weten.

Zet die grizzlybeer in Afrika, zei Edgar.

Dan maakt hij nog gehakt van die aap.

Op dat moment kolkte het water rond de gele vlieg en hij zette de haak, voelde het gewicht en de reel begon die prachtige hoge toon te snorren waar hij zo gek op was.

Dat is een knappe vis, zei Edgar.

RL zei niets, hield alleen zijn handpalm op de rand van de spoel om hem een beetje af te remmen. Zelfs met een tweehonderdste onderlijn zou hij deze niet kunnen drillen. Een kanjer, misschien een grote kanjer. Eerst dacht hij dat het een bronforel was, maar toen – op tien meter afstand – sprong de vis uit het water op en tolde door de lucht, een grote mooie regenboog, fel blinkend in de middagzon. RL hield de hengeltop omhoog om druk op de vis te houden, terwijl hij sprong en sprong en sprong. RL begon in zichzelf, binnensmonds, zijn vrolijke liedje te zingen, het melodietje dat hij altijd hoorde wanneer hij een grote, misschien wel heel grote vis aan de lijn had, en de reel bleef staan en hij stukje bij beetje begon binnen te halen. Vrolijk liedje, centimeter voor centimeter, en dan de wilde vlucht als het beest ervandoor ging, de vlieglijn door het water sneed, en dan weer het langzame, langzame terughalen en dan...

RL staarde naar de slappe lijn. Het beest was weg.

De muziek hield prompt op. RL draaide de lijn binnen tot hij de plek zag waar de knoop had losgelaten, het zielige spiralende puntje van de onderlijn, precies waar de kunstvlieg was vastgemaakt. Dit was zijn fout.

Stomme lul, zei RL.

Edgar zweeg, trok alleen het ankertouw op om weer verder te varen en pakte de roeispanen. Wat kon hij anders dan het stomme-lulcommentaar beamen, en dat was niet verstandig. RL zou hem ontslaan. Hij zou hem de volgende dag weer in dienst nemen, maar toch. RL voelde de herinnering aan het beest nog in de spieren van zijn onderarm, het gewicht en die vechtlust. De boot dreef nu op de stroom mee, gleed langs verdachte oevers, bedrieglijke ondiepten en afgekapte wortelstronken. Hij sneed de gekronkelde onderlijn los en bond er zorgvuldig een nieuwe vlieg aan, controleerde dit keer zijn werk, trok aan de vlieg, keek of de knoop netjes en zeker vastzat aan het oog van de haak. Hij drenkte de vlieg in vliegvet en wierp opnieuw uit, ook al wilde hij niet. Hij wilde geen andere vis vangen. Hij wilde de vis vangen die hij zojuist had verspeeld, die grote.

Na honderd meter rivier zei Edgar: Het belangrijkste is dat we er even uit zijn.

RL besloot er maar om te lachen in plaats van hem te vermoorden.

Frisse lucht, zei hij. Goed voor een mens.

RL stak toen zijn sigaar aan en ze dreven verder. Edgar trok af en toe aan de riemen om de boot evenwijdig aan de oever te houden, maar liet voornamelijk de stroming het werk doen. Een ijsvogel volgde hen een tijdje luid kwetterend, en RL zag een bever. Hij maakte een koud biertje open. Als hij nu iets ving zou het een zielig visje zijn, dacht hij, geen vergelijk met die ene die hem zijn vlieg had gekost. Maar toen hij er een ving en daarna nog een, vond hij het opgewekte vechtertjes en bekeek hij ze tevreden.

Toen kwamen ze bij een irrigatiedam die zich over de volle breedte van de rivier uitstrekte. Niemand wist er het fijne van, maar het gerucht ging dat het water voor het grasland van Huey Lewis was, of anders voor de golfbaan bij de Stock Farm, een ommuurd bouwproject in westernstijl, met panden van een miljoen dollar. De dam zelf was een muur van gestapelde rotsblokken en keien, en wat er aan water over was nadat de golfers het hunne hadden gepikt, liep net over de bovenrand. De valhoogte was ruim één tot anderhalve meter. Edgar ging aan de riemen staan en probeerde zicht te krijgen op de waterwerveling, probeerde de diepte van de kolk beneden te schatten.

Denk je dat we het redden? vroeg hij aan RL.

Geen idee.

Zie jij een betere oplossing?

Uitstappen en lopen, zei RL. De boot uitladen en eroverheen trekken.

Lijkt me geen lol aan.

Doe je gordel dan om, zei RL. Ik sjor de waterdichte zak en de koelbox vast. Als je mijn sigaar verzuipt zul je ervoor boeten.

Ik waag het erop, zei Edgar, en hij ging weer op de roeibank zitten. RL bond alles vast en nam zijn troon voor op de boot weer in. Een mooie, geladen stilte voor de dam. De lucht was warm en doortrokken van rook, een kampvuurstank. Een blauwe reiger bekeek hen vanaf een ondiepe plek in een binnenbocht. De poel vóór de dam was traag en kalm en ze dreven rustig naar de rand van de stroomval. Toen zaten ze erin.

De voorkant van de boot met RL erin schoot eerst horizontaal de leegte in, een vreemde, duizelingwekkende sensatie toen het water wegviel en de rubberbodem onder zijn voeten inzakte. Vervolgens ging het middendeel, met Edgar en het roeiframe, over de rand en kiepte de hele boot ineens naar voren, waardoor RL bijna uit zijn stoel naar omlaag schoot. Hij wist zijn werphengel vast te houden toen de kont van de boot over de dam schoof. Het zou ze lukken om eroverheen te komen. Het zou lukken, totdat de kont van de boot tegen een scherpe rotspunt in de ondiepe rand zwiepte, het rubber bekneld raakte tussen roeiframe en rots, er een scheurend geluid klonk, en het achterwerk van de boot abrupt leegliep, waardoor de hele bliksemse bende halsoverkop in het water stortte.

Het was dieper dan RL had gedacht en hij moest zich watertrappelend, half op zijn zij, redden, met zijn hengel klemvast. Je hebt je prioriteiten of niet. Even paniek toen hij geen bodem voelde en een van zijn sandalen verloor. Niet hier, dacht hij, niet nu, niet ik.

Even later zat hij nat en druipend op een grindbank. Hij wist niet precies hoe hij er gekomen was, maar had zijn sponzige sigaar nog tussen zijn tanden en ook zijn werphengel nog klemvast. Hij schoot in de lach, tot hij zich realiseerde dat hij Edgar nergens zag. De rubberboot hing nog aan de rotsblokken, terwijl het water erdoorheen spoelde en de vastgesjorde koelbox op de stroming wipte. Op geen van beide oevers achter hem zag hij een teken van leven, behalve zijn hoed die stroomafwaarts dreef. Hij keek nog eens naar de boot en zag een hand.

Edgars hand zat verstrikt in de riem tussen boot en koelbox, diep in het water. Toen RL beter keek zag hij Edgars hoofd door het gordijn van water dat over de dam viel. Hij kwam boven en probeerde lucht te krijgen, maar het water duwde hem weer onder. Zijn vrije hand tastte rond in een poging los te komen. Ergens achter hem. De koelbox was blijven steken tussen twee keien en de druk van het water tegen de boot hield de riem strak.

Zonder zich nog te bedenken schopte RL zijn ene sandaal uit en zwom naar de boot. Het ging langzaam tegen de stroom in. Hij had geen tijd. Een blinde woede ontplofte in zijn hoofd. Die kloterivier. Edgar had een jonge vrouw en dochter en RL zag hen voor zich. Hij zwom tot hij er op een of andere manier was, trillend van inspanning, met weke, zere armen. Eenmaal op de rotsen wist hij niet wat hij moest doen. Hij probeerde de boot naar zich toe te trekken om de klamp los te maken, maar de druk van het water ertegen was groter dan zijn kracht. Edgar kwam boven en ging onder, kwam boven en ging onder. Toen herinnerde RL zich het.

Hij herinnerde zich het mes in zijn plunjezak, waar was die? Ergens in de boot, hij herinnerde zich dat hij de zak aan het roeiframe had gebonden. RL tastte met zijn hand langs het frame, eronder en erachter, blind, half onderwater tot zijn hand de riem vond en naar zich toe trok en dáár was de zak en dáár het zijvak en dáár in het vak zat het mes, ontiegelijk scherp. Hij knipte het met zijn ene hand open en sneed de riem door, en de hele zooi – rubberboot, zak, Edgar en RL – dreef van de waterval weg. Zich nog vasthoudend aan het roeiframe zag hij dat Edgar bevrijd was en op eigen kracht zo'n beetje zwom en daarom besloot hij te proberen de boot aan land te krijgen. RL dreef mee tot hij grind onder zijn blote voeten voelde en sleurde de kapotte boot op de kant, het achterdeel volledig plat en flapperend. Hij trok hem in het riet, keek stroomopwaarts en zag Edgar veilig op de oever staan, met zijn ene arm de andere ondersteunend. Een windvlaag ritselde door de populieren, een geluid van ontspanning, en er begon iets te juichen bij RL vanbinnen. Hij had zich niet laten kisten. RL begon te lachen en zocht blootvoets zijn weg tussen de rotsen.

Ik denk dat ik mijn arm heb gebroken, zei Edgar.

Het lachen verging RL toen hij het bleke licht van zijn bloedeloze gezicht zag.

Hoe heb je dat voor elkaar gekregen?

Ik weet het echt niet, zei Edgar. Het is een beetje wazig. Ik moet even zitten.

Doet het erg pijn?

Ja.

Kun je hem bewegen?

Maar dat was een vraag te veel voor Edgar. Hij wilde op het grind zitten en wuifde RL weg, duizelig, plofte een beetje te hard neer. Een warme, droge wind blies door het rivierdal. Blaadjes ratelden in de bosbrandrook.

*

*Vrouwen stierven* van de honger op straat en hun lijken bevroren op de stoep. Ze aten daar ratten, hun huisdieren, de beesten uit de dierentuin: ze aten elkaar. De menselijke slachting.

Layla legde haar boek weg en nam een slokje limonade. Er was met een van hen iets mis, met haar of met Daniel. Hij was helemaal verlicht uit Rusland teruggekomen, alles over Rusland, over het eten en de kunst, de vrouwen en het leed. Via e-mail en lange telefonades – hij had alleen plannen voor Seattle, wilde niks afspreken voor een bezoek aan Montana – had hij haar verteld wat ze moest lezen en welke films ze moest zien. Tot dusver had ze zich door *Anna Karenina*, *Aantekeningen uit het ondergrondse* en *Solaris* heen geworsteld. Een van de twee was gek, zij of Daniel. Hij had haar het boek dat ze nu aan het lezen was opgedrongen, alles over de belegering van Leningrad, voor de helft militaire geschiedenis en voor de helft niets dan leed. Ze kon zijn enthousiasme niet begrijpen. Ja, het was gebeurd. Nee, het was niet zo lang geleden. Maar waarom? Als ze aan hem dacht, lag hij in het vroege zonlicht in haar bed, benen in een harige knik, het glanzende bruin van zijn lange lokken. Kennelijk niet genoeg voor Daniel. En hij wilde niet definitief zeggen wanneer hij haar kwam opzoeken en het was maar een dagje rijden...

Het was bijna zonsondergang. Over drie weken zouden de colleges beginnen. Dan zou ze hem zien en zou alles duidelijk worden. Zou ze het in ieder geval weten. Dat vonkje angst bij de gedachte aan weten. Die smaak van koperen munten.

Haar mobieltje ging en het was RL. Hij wilde dat ze hen kwam oppikken langs highway 93. Er was een ongeluk gebeurd. Nee, alles oké, of zo goed als oké. De parkeerhaven even voorbij Poker Joe.

Maar toen ze hen zag, wist Layla dat het niet oké was. Ze herkende Edgar van de winkel, maar hij zag eruit als een geest, zo had ze hem nog nooit eerder gezien. Ze stonden als Mutt en Jeff langs de kant van de weg, Edgar lang en dun, met spitse neus – een knokige maar elegante man, geknutseld uit ijzeren kleerhangertjes – en naast hem RL in zijn stevige vlees. Mijn vader, dacht ze. De stevige vader. Ze had nog steeds een hekel aan zijn baard en vroeg zich af of ze hem tot afscheren kon overhalen voor ze naar de universiteit terugging. Maar zelfs de stevige RL leek in de war, te veel aarzelingen in zijn optreden, nu zus en dan weer zo. Een boot vol troep aan de kant van de weg, koelbox, plunjezakken, roeispanen.

Wat is er aan de hand?

Aanvarinkje op de rivier, zei RL luchtig, maar niet overtuigend.

Geen gewonden?

Edgar denkt dat hij een gebroken arm heeft.

Ik weet het wel zeker, zei Edgar. Hij klaagde niet, maar het was ook geen grapje.

Ze deed het portier voor hem open en hij stapte in, zijn ene arm ondersteunend met de andere en zat stil voor zich uit te staren, terwijl zij de spullen in de bak van de pick-up gooiden. RL weigerde hem zelfs aan te kijken en hij deed geen mond open. Edgar was woest. Toen ze ingeladen hadden, propte RL zich op het klapbankje achter Layla, waarop hij nauwelijks paste. Ze kon zijn enorme knokige knieën in haar onderrug voelen.

Zet mij er maar uit bij Chief Looking Glass, zei RL. Ik moet de trailer ophalen en we komen erlangs. Dan zie ik jullie in het St. Pat's.

Layla rook verschaald bier en sigarenrook en draaide haar raampje iets open. Ze wilde niet, wilde niet, wilde niet. Maar ze wilde ook niet de trailer moeten ophalen. Naast haar zat Edgar te zieden van woede. Wat hádden die mannen? Zou Daniel er ook zo een worden, als ze lang genoeg bij hem bleef? Zou hij naar zweet en zonnebrand en bier gaan stinken? Zou hij krabben tot hij bloedde? RL vond het mooi als hij af en toe wat bloed van zichzelf zag. Het kon hem echt niks schelen. Layla had dat nooit begrepen.

Ze lieten RL eruit om de pendelrit te maken, en toen was het alleen met z'n tweeën op weg naar het ziekenhuis.

Layla wist absoluut niets te zeggen. Het zou van hier minstens een halfuur rijden zijn.

Hoe is dit gebeurd? vroeg ze ten slotte.

Het was gewoon stommigheid, zei hij.

Wat voor?

Edgar vertelde over de schipbreuk, en toen hij aan het gedeelte toekwam dat hij met zijn hand onderwater vastzat, merkte ze hoe bang hij was geweest. Nog was. Hij zei: Ik dacht dat ik er niet meer uit zou komen.

Hij stak een hand uit, met de palm naar de voorruit toe, alsof hij de doodsengel wilde afweren; en vanuit haar ooghoek merkte ze op dat hij gracieus in zijn bewegingen was, als de curve van een goede worp – ze kon die in haar eigen lichaam voelen, als dat lukte. Gratie.

Bovendien was de stank van zweet en bier en sigaren van haar vader afkomstig. Nu hij weg was, stonk de wagen alleen nog naar rivierwater.

RL is soms zo'n klootzak, zei Layla.

Eerder mijn fout dan die van hem, zei Edgar. Ik roeide.

Het lijkt wel of zulke ellende altijd gebeurt wanneer hij in de búúrt is, weet je? En hem overkomt het ook nooit. Altijd de mensen om hem heen, de bofkonten.

Edgar lachte, voelde dat meteen in zijn gebroken arm.

Uit haar ooghoek zag ze hem wit wegtrekken.

Jij durft wel wat te zeggen, zei hij.

Dat hoor ik wel meer.

Ben je opgegroeid met RL om je heen?

Layla lachte. Ze zei: Denk je dat er een verband is?

Zou kunnen.

Grotendeels, zei ze. De eerste keer dat mijn moeder terugkwam, wou ze kijken of er iets van mij te maken viel. Ik ging een tijdje heen en weer totdat ze weer vertrok.

Waarheen?

Heeft RL je dat nooit verteld? Hij vindt het heerlijk om dat verhaal te vertellen. Ja, ze liep weg om de Grateful Dead achterna te gaan, soms jarenlang, overal heen. Dan verkocht ze halssnoeren van hennep met stenen en kralen en zo.

Maak 'm nou.

Ja, ongelooflijk.

Ik heb haar alleen die ene keer in de winkel gezien.

Nee, zo ziet ze er niet meer uit. Of je moet haar in een mouwloos shirt zien, ze heeft een heel spinnenweb op haar schouder en een deel van haar arm laten tatoeëren. Enorm groot. Eigenlijk wel fantastisch.

Zo hoor je nog eens wat, zei Edgar.

Ze vervielen weer in stilzwijgen, maar nu was het een gelijkgezinde stilte. Ze stonden aan dezelfde kant, al wist Layla niet van wat. Na een tijdje begon Edgar te lachen. Hij zei niet waarom en zij vroeg er niet naar. Dat hoefde niet. Ze wist al zoveel.

*

*Later in de kroeg* zaten ze met bier en cheeseburgers onder een muur vol foto's van grijnzende sportvissers en vrouwen die ongelooflijk grote vissen ophielden. RL was inmiddels half dronken en hij moest om halfzes in de ochtend op om de klanten over te nemen die Edgar niet kon gidsen. Dus bestelde hij een Johnnie Walker met ijs voor zichzelf en eentje voor Edgar.

Wie brengt jou straks thuis? vroeg Layla.

Maak je over mij geen zorgen, zei RL.

Misschien heb je je geluk voor vandaag opgebruikt, zei ze.

Mijn pech, zul je bedoelen. We hebben alle pech opgebruikt. Het wordt van nu af aan alleen maar rozengeur en maneschijn.

RL leunde in zijn stoel naar achteren en bekeek een tijdje het achterwerk van de serveerster. Hij gedroeg zich als een hork, en dat wist hij. Maar hij voelde vagelijk dat de andere twee tegen hem samenspanden, iets daarvan had hij gemerkt toen hij twee uur na hen de wachtkamer in het Saint Pat's binnenliep, en Edgar net met zijn nieuwe gips kwam aanzetten. Hij had er misschien eerder moeten zijn.

Maar sinds de dood van zijn moeder had RL een gloeiende hekel aan ziekenhuizen, die stank, het mechanisch gesus en gesis. Achter de beleefdheid en de zachte stemmen loerden leed en dood. Tijdens haar laatste tien dagen, toen hij in de wachtkamer sliep, of in een stoel op haar kamer waar zij om adem vocht, had RL wel eens de lift naar de kraamafdeling genomen, alleen maar om geluk te zien, alleen maar om erin te geloven. Wandelend door de gang, met het gevoel dat hij spioneerde – hij hoorde daar niet, had er niets te zoeken – deed RL zijn best om door de halfopen deur de nieuwe moeder te zien, het in deken gewikkelde bundeltje, het oudere broertje of zusje met ballonnen of bloemen, de trieste, vermoeide echtgenoten die blij waren, maar tegelijkertijd iets anders, iets wat niemand wilde benoemen... Zelfs op zo'n blije plek sloop het andere binnen. Een soort werktuiglijk mededogen, reëel, ontoereikend. Hoe erg ze het allemaal ook vonden, godverdomme, zijn moeder kwam niet terug.

Layla dronk cola light en zag er mooi en misprijzend uit met haar lange mooie hals, totdat Edgar iets grappigs zei en toen mocht ze hem. Zijn gipsarm zag er al groezelig uit in het gedempte kroeglicht. De serveerster verdween naar de belendende ruimte, lang en blond, mogelijk een basketbalspeelster. Ze had een hoge kont als van een zwarte vrouw en lange, gespierde benen.

RL zei: Jij kan de winkel doen, hè?

Edgar zei: Ik?

Het is loonwerk, zei RL. Waarschijnlijk genoeg om het een tijdje te kunnen uitzingen. Je verdient er niet mee wat je met gidsen verdient.

Nee, maar ik waardeer het. Ik zou alleen bij god niet weten hoe het allemaal moet.

Zo'n kunst is het niet, zei RL. Zonnestraaltje hier kan je laten zien hoe je de kassa en zo moet bedienen.

Er is niet veel aan, zei Layla.

Nee, ik waardeer het buitengewoon. Ik had eigenlijk al op een beetje geld gerekend.

RL keek naar hem, naar zijn dankbare vriendelijke gezicht, en opeens was hij het zat – de avond zat, het gezelschap zat. Hij zag morgenochtend vijf uur opdoemen en de rubberboot die nog half lek bij de rivier lag en klanten die hij moest paaien, nooit zijn favoriete onderdeel van het werk. De blonde serveerster met de mooie kont zou niet met hem naar bed gaan en dit laatste glas whisky zou het er ook niet beter op maken. Hij sloeg het achterover, ijsblokjes rammelend tegen zijn tanden, en gooide zijn dochter zestig dollar toe.

Reken jij even af, ja? zei hij. Ik ga pissen.

De omslag van zijn stemming verbaasde haar, hij zag het aan haar gezicht, zij en Edgar. Ik ben je vader, dacht RL, ik stel je teleur. Dat doe ik nu eenmaal. Dat is mijn werk.

In het groene licht van het toilet zag hij zijn drankogen, zijn dikke bolle pens, zijn vissersvest met die domme klepjes en knopen. Wat wilde hij bewijzen? De jongen in hem. Kunstvliegen binden en boten roeien – een jongensbeeld van een mannenleven – en hier was hij, compleet met een dochter en wallen onder zijn ogen, god verdomme net Rembrandt. Het pissen ging steeds trager en slapper. Het was hem gelukt een beetje geld te verdienen – visser en huisbaas – en zijn dochter in leven te houden. Dat was alles. Op sommige momenten leek dat min of meer genoeg, maar nu, alleen onder het groene licht met zijn pik in zijn hand, zeker niet.

Toen hij in de kroeg terugkwam zaten ze met gebogen hoofd te praten. Het was niet echt verdacht, maar ook niet goed. Wisselgeld en rekening lagen al op de tafel, ze konden weg.

Ik breng de gewonde naar huis, zei RL. Zie je thuis wel.

Misschien ga ik nog even uit, zei Layla.

Uit? Waarheen?

Nou gewoon, úít, zei Layla.

Ik heb niet graag dat je uitgaat in kroegen.

Dat is precies waar we nu zijn, zei ze.

Oké, oké, oké, zei hij. Als je maar geen herrie maakt als je thuiskomt. Ik moet vroeg op.

Ik zal de fanfare meenemen, zei ze.

In de auto zei Edgar: Wel een pittige dame.

Soms, zei RL. Als ze zich op haar gemak bij je voelt, dan zie je die kant van haar. Maar het is een gecompliceerd meisje, soms klapt ze helemaal dicht. Ze lijkt een stuk ouder dan ze in feite is.

Het was als waarschuwing bedoeld en misschien pikte Edgar het zo op. Hij schoof naar zijn kant van de wagen en hield de rest van de rit naar zijn huis zijn mond. Het was vroeg maar laat, de straten begonnen net vol te lopen met dronken studenten en Layla was daar ergens tussen. RL was sinds zes uur op en begreep niet waar al dat geschreeuw, gezuip en rondrijden in auto's voor nodig was. Al dacht hij met intens genoegen terug aan het moment dat de boot over de rand van de dam kiepte. Gevaarlijke lol. Maar wel lol.

Wat heb jij gedaan?

Edgars vrouw stond in het verandalicht alsof ze niet van plan was hem binnen te laten. Achter haar keek een kwijlend peutermeisje bang vanuit de woonkamer. Toen draaide Amy zich naar RL.

Wat heb je met hem gedaan? zei ze. Waarom is er altijd rotzooi wanneer hij met jou op pad is?

Het is zijn schuld niet, zei Edgar.

Dat zei ik ook niet, zei ze. Kom maar binnen.

Ze stapte opzij in de deuropening en keek RL zijdelings en kwaad aan. Haar hield hij niet voor de gek. Edgar binnen met zijn dochter op zijn arm en toen deed Amy de deur dicht en stond RL alleen op de veranda. Hij hoorde de ruzie achter de gesloten deur beginnen. Een mooie avond, eindelijk koeler, insectengezoem in het donker en RL weer alleen. Het gele licht van de woonkamer stroomde warm over het gazon – het suggereerde een gezin, een leven binnen, een plek om thuis te komen.

Hij liep terug naar de wagen en reed naar zijn eigen lege huis. Het rode lichtje op het antwoordapparaat knipperde, maar RL negeerde het, ten gunste van een laatste biertje op de veranda. En mogelijk een sigaar. Zeker een sigaar. Hij zou er morgenochtend voor boeten, maar hij kon toch niet meteen slapen. RL was rusteloos, rusteloos. De stad strekte zich beneden voor hem uit, een kom vol lichten, koplampen, lantaarns, lichtjes die uit warme huisjes pinkelden en altijd auto's ergens naar op weg. Wie had er gebeld? RL wilde het liever niet weten. Hij leunde achterover en keek naar de lichtjes en dronk van zijn bier en zag hoe de late Northwest vlucht uit Minneapolis de daling inzette naar de luchthaven aan de overkant van de vallei, kilometers verder. De landingsbaan lichtte op terwijl het vliegtuig knipperend in de avondlucht naderde. Hij stak zijn sigaar aan en zakte onderuit in zijn tuinstoel om te kijken. Man, drank, veranda, zomeravond, sigaar.

RL had een primitief plezier in grote machines – straalvliegtuigen, bulldozers, locomotieven – een plezier dat hij had overgehouden aan zijn jongensjaren in Ohio. Vroeger had hij Layla vaak meegenomen naar het viaduct aan de noordkant van de stad om samen naar de treinen onder hun voeten te kijken, soms de dieselwarmte te voelen, het gekletter van hortende goederenwagons en het gekrijs van metalen remmen te horen. Hij had iets wat vrouwen niet vertrouwden, wat ze niet erg mochten. Het ging niet alleen om gebroken botten, om de sores die hem achtervolgde. Niet om het afkeurenswaardige feit dat hij rond middernacht met een biertje in zijn hand zat terwijl hij om vijf uur op moest, vanwege het kinderlijk plezier om het grote straalvliegtuig in de verte te zien landen. Ze vlogen nog met die oude driemotorige 727's op deze vallei, een van de laatste plekken waar ze mochten komen, te luidruchtig voor bijna overal elders, maar ze konden als de beste door een inversielaag prikken.

Nee, het was iets anders wat ze niet vertrouwden, iets ongrijpbaars. Het feit dat hij dit een mooie dag vond, dat hij daardoor voelde dat hij leefde. Er was iets gebeurd, niemand dood. Verveling op afstand gehouden. Missie volbracht. Geen vrouw ter wereld zou die logica hebben kunnen volgen, RL was er tenminste nog nooit een tegengekomen. Misschien hadden ze gelijk. Misschien moesten de vrouwen voor de verandering maar eens de wereld besturen, als ze het al niet deden. Maar RL was er diep van overtuigd dat hij hierin gelijk had. Voorzichtigheid moest je niet overdrijven, dan werd het lafheid, en lafheid was de dood in de pot.

Hij zag ernaar uit dit standpunt aan Edgars vrouw uit te leggen.

Aan de andere kant van de vallei volgde de 727 de felle

bundels van zijn landingslichten naar omlaag, een lange geleidelijke glijvlucht rond de vallei die daarna rechttrok in lijn met de landingsbaan. Hij kon de grote motoren maar net horen. Dan de landing, alles veilig, een soort inwendig juichen.

Toen ging de telefoon weer en hij liep erheen om op de nummermelder te kijken: zijn ex-vrouw Dawn, die om middernacht belde. RL wist niet veel, maar genoeg om dit telefoontje voor een andere dag te bewaren. De vrouwen van de wereld moesten vanavond maar iemand anders zoeken om op te vitten. Hij was het zat om boodschappenjongen te zijn, zat om uitleg te geven. Als dit een noodgeval was, was het niet zijn noodgeval. Hij haalde een fles Trout Slayer uit de koelkast, voor het geval de eerste leeg raakte, en ging naar buiten om naar de lichten te kijken, de zomer te voelen, die snel op zijn eind liep. Een minuut later begon de telefoon weer te rinkelen en hij liet hem rinkelen.

*

*Dit wordt niet wat,* dacht June. Het werd nooit wat met mannen die een klembord of een snor of een grote hoed hadden, en Howard Emerson had alle drie.

Raar geval, zei hij. Ze liepen met grote passen door gemaaid gras langs de verre omheining die de grens met het natuurpark vormde. June kon de rivier ruiken, einde zomer, laag water, slik en rotting. Ze waren vlak bij het water.

Een stel hippies ergens in 1969, geloof ik, zei Howard Emerson. Leenden geld van pa en ma en van ik weet niet wie of wat allemaal meer en ze legden hutje bij mutje en kochten tweehonderdvijftig hectare ergens bij Kootenai Creek en begonnen een hippiecommune, het echte werk. Het duurde niet lang. Ik denk dat ze op het laatst allemaal de pest aan elkaar hadden, en er werd ook wel eens door dorpsbewoners op ze geschoten en zo. Dat was in de tijd dat de Posse Comitatus actief was – wel eens van gehoord?

Nee, zei June.

Fanaten, vergeleken met hen waren de Freemen maar

koorknaapjes, zei Howard Emerson. Hoe dan ook, ze werden daar weggejaagd, of namen zelf de benen, doet er ook niet toe, volgens mij waren ze elkaar zo zat dat ze niet eens meer met elkaar praatten. Dat eigendom lag er maar, net zoals bij jou, het hooi werd verpacht en het huis verhuurd. Dertig jaar lang. Toen ging er centje dood, denk ik, en ze belden mij om de boel te taxeren. Ze hadden geen flauw benul, geen van allen. Ze sloegen steil achterover toen ik ze het bedrag noemde. Nu woont Jim Canady er.

Hij keek haar vanonder de rand van zijn hoed aan, alsof het grote indruk op haar moest maken, maar het zei June niets.

Honkbalwerper, zei Howard Emerson. Aflossende werper, setup-man. Wierp een tijdje bij de Cardinals. Aardiger vent kan je niet tegenkomen.

Geweldig! zei ze.

Nu zijn het een stel rijke hippies, zei Howard Emerson. Intussen wel ex-hippies, denk ik. Zo zie je maar.

*Zie je maar wat?* wilde June weten. *Wie moet wat zien? Wie ziet wat? Wiet zat? Ik word die Howard Emerson zat.*

Ik maak je toch niet zenuwachtig? vroeg Howard Emerson.

Nee, nee.

Het leek even.

Nee, ik…

Je hebt hier volgens mij wel een tijd gezeten, zei hij. Moet hier verdraaid aardig zijn geweest. Je was er nog voor de golfbaan. Ik weet nog dat het hier verschrikkelijk stonk door de papierfabriek. Blij dat ze die toestand hebben opgeruimd. Stonk als een natte hond, de godganse dag en nacht. Ik weet niet hoe je dat hebt uitgehouden.

Het is nooit zo erg geweest.

O, jawel. Ik weet het nog. Maar eind goed al goed, zeg ik maar. Ik neem aan dat je dit voor een vrij gunstig prijsje hebt kunnen kopen, ik zal je er niet naar vragen, maar ik neem aan dat het een verdraaid aardig prijsje was. Ik denk dat het een verdraaid leuke verrassing zal worden als je besluit te verkopen.

Ik ben er nog niet echt uit, zei June. Ik blijf heen en weer slingeren.

Begrijp ik volkomen.

Er zitten een hoop herinneringen aan zo'n plek vast.

Ik wil je niks aanpraten, zei Howard Emerson, noch het een noch het ander. Ik zeg het alleen maar. Je hoeft je herinneringen niet bij de plek achter te laten, je kunt ze meenemen, wat je ook besluit. Jee, ik ben in Californië opgegroeid, op een plek die niet eens meer bestaat. Nog dezelfde huizen en dezelfde straten, maar niemand spreekt er nog Engels. En het is ook een aardige buurt, nog steeds een aardige buurt, alleen barst het er van de

Filippino's. Maar weet je, toch raak je het niet kwijt, we hebben allemaal de foto's en de herinneringen. Veel oude buurtbewoners houden nog steeds contact.

June geloofde hem niet. In haar oren klonk het als een vrome wens, alsof hij zichzelf iets wilde aanpraten. De tijd *vernietigt*, dacht ze. Iets is er en dan is het er niet meer. Mijn moeder is dood, dacht ze, mijn vader, mijn man. Dat is wat de tijd dóét. Zo werkt het. Ze was niet zozeer kwaad op Howard Emerson als kwaad in het algemeen op hoe de wereld in elkaar zat, op het voortdurende stelen en beloven.

Een mooie, heldere middag, trouwens, met wat hoge, nevelige bewolking. Het was nog geen herfst, maar het zou het gauw worden. Terug naar school, terug naar het leven. Ze liepen door het hoge, droge gras aan de rand van het hooiveld terug naar het huis, Howard voorop met zijn grote hoed en zijn grote waterdichte schoenen, June achter hem aan in haar lange rok. Ze voelde zich een lady, een landeigenares, zoals ze het had gewild, een Engelse dame in het Westen. Misschien zou ze hem thee aanbieden als ze in het huis terug waren. Misschien zou ze hem eruit gooien. Maar ze had hem zelf uitgenodigd, een vriend van een vriend die haar bij benadering kon vertellen wat het bezit waard was, en Engelse dames gooien hun gasten er niet uit. Ze zou thee voor hem zetten en toekijken hoe hij die door zijn reusachtige snor zeefde.

Augustusmiddag, limonade, zomerjurken. Tennis. Ze raakte ervan in een nostalgische bui, ze dacht terug aan de middelbare school, aan haar eigen lange benen.

Maar in de vestibule, in de grote spiegel, vond ze zich er met haar sportieve sandalen en haar korte, praktische haar uitzien als een lesbienne, een van die vrolijke, praktische lesbische buitenmeiden die ze uit het ziekenhuis kende. Haar goede bui was meteen over. Ze bood hem bier aan, wat hij afsloeg, daarna limonade, die hij aannam. Een glas witte wijn voor zichzelf. Toen ze naar binnen gingen zette Howard Emerson zijn hoed af en was direct een kopje kleiner, niet alleen de anderhalve decimeter hoed, maar ook de helft van zijn omvang en statuur. Zijn kruin was wit en zacht als babybilletjes en zijn knevel leek plotseling griezelig groot, een fremdkörper. June zag het al voor zich: eerst de hoed en dan die schoenen, vervolgens het jack en de spijkerbroek, tegen de tijd dat je hem bloot had, was er niets meer over dan een piepkleine larve.

Wil je het weten? zei hij.

Ze zaten aan de eettafel, middagzon over de houten vloeren, een briesje liet de gordijnen loom bewegen. Oude taxaties, belastinggegevens en plattegronden lagen tussen hen in.

Waarom niet?

Het kan zijn dat je er dan anders tegenaan kijkt. Het kan het moeilijker maken.

Ik betwijfel het, zei June.

Goed dan.

Hij rommelde in de papieren voor hem op tafel en tuitte zijn lippen. Toen hij weer opkeek was hij een beetje boos, beetje fel. Hij had zijn best gedaan om begrip te tonen en zij had er haar schouders over opgehaald.

Twee en nog wat, zei hij. Twee komma twee, misschien twee komma drie.

Twee miljoen dollar.

Twee miljoen tweehonderdduizend, zei hij. Kan nog wat meer worden, zoals ik al zei, en het kan ook voor minder weggaan, maar dat zou me verbazen. Er zijn niet zoveel objecten van deze omvang meer in de vallei. Lang leve Hoerner Waldorf, hè? Jij hebt volgehouden ondanks die rotlucht, toen geen mens hier nog wilde wonen.

Het is nooit zo erg geweest, zei ze weer, en herhaalde dat nu dromerig, werktuiglijk. Het vooruitzicht van geld duizelde haar. Waar ze allemaal naartoe kon, wat voor schoenen ze allemaal kon kopen, de tijd, de eindeloze dagen voor zichzelf. June legde haar hand op de paperassen op tafel, alsof er toverkracht in zat. Howard Emerson keek haar aan. Er zat een mens achter die blauwe ogen, opeens zag ze het. Iemand. Het kwam als een verrassing. Geen dokter, geen roofdier. June hield afstand, voedde haar angst, maar bedacht nu dat er misschien niets was om bang voor te zijn. Zijn ogen stonden vriendelijk en vermoeid en ze keken recht in die van haar.

Daar heb ik wel mee geboft.

Boffen of pech, zei hij vriendelijk. Allemaal prachtig totdat je er eigendomsbelasting over moet betalen.

Ik vind het niet erg om belasting te betalen.

Howard geloofde haar niet.

Nee, echt waar, zei ze. Ze wist niet waarom, maar het leek haar belangrijk om het uit te leggen. Scholen, trottoirs en brandweer, daar ben ik allemaal voor. Zolang iedereen maar zijn deel betaalt.

Berispend en ernstig, zelfs in haar eigen oren. Wil je mijn Birkenstocks zien?

Howard scheen zich er niet aan te storen, of merkte het niet eens. Hij zei: Dat is het enige punt, begrijp je – er is niks mis mee om gewoon op deze plek te blijven zitten, ik bedoel, het zal niet in waarde dalen en je lijkt er wel bij te varen. Er is geen dringende reden. Maar weet je, als buren een Special Improvement District vormen, word je aangeslagen voor extra buurtvoorzieningen, of je wordt geherwaardeerd. Ik wil alleen maar zeggen dat anderen uiteindelijk misschien voor jou gaan beslissen.

Je bent de duivel, hè?

Howard Emerson keek geschrokken.

Gekomen om mij met de hele verdorven wereld te verleiden, zei ze.

Ik probeer alleen te zorgen dat ik dagelijks mijn Coke en

pizza krijg. Dat de paarden hun haver krijgen. Ik weet niks van de verdorven wereld.

Wat voor paarden?

Niks bijzonders, zei Howard Emerson. Eigenlijk run ik een bejaardentehuis voor paarden. Of misschien zoiets als een café, weet je, waar een stel oude mannen bij elkaar zit te kletsen. Ik mag ze graag, maar ze zijn nergens goed voor.

Dit wierp volgens June meer vragen op dan er beantwoord werden, maar ze wilde niet aandringen. Bovendien had ze wat anders aan haar hoofd. Zou ze rijk worden? Het was alsof iemand haar ten huwelijk had gevraagd en ze nu moest beslissen. Howard Emerson, dacht ze. De duivel zelf. Wat zou het kindje Jezus doen?

*

*Layla droomde* van die woning waar de soldaten dat bloedbad, de onthoofde, stukgehakte lijken hadden aangetroffen, de messen, de dikke glimmende slagers met hun roze huid... Ze kende een van de doden, ze wist niet waarvan. Als een geest keek ze toe, als een camera in de hoek, een oog en meer niet. Als een Picasso, dacht ze, *Picasso, Picasso, Picasso.* Het woord echode, opgebroken en betekenisloos, nog in haar hoofd toen ze wakker werd. Ze proefde de smaak ervan in haar mond, grijsblauw en bruin. Bittere Picasso. Het allerlaatste van de zomer.

*

RL *staart* naar de telefoon. Die gaat weer. Het is zijn ex-vrouw die belt, de ex-vrouw die in drie dagen vijf berichten heeft ingesproken, die geen van alle meer inhouden dan: *Bel me.*

Uiteindelijk zal hij moeten opnemen, maar hij kan geen reden bedenken waarom dat nu zou moeten.

Hij praat niet graag met haar. Hij houdt niet van liegen en hij liegt als hij met haar praat – niet eens over gewichtige zaken, over de kleine, alledaagse dingen, zelfs over Layla. RL vindt Dawn verwarrend en lastig, en hij wil haar niet in zijn leven hebben. Niet eens omdat hij een hekel aan haar heeft – dat zou eenvoudiger zijn – maar juist omdat hij die ondergrondse warboel van emoties voelt: medelijden en ergernis en soms zelfs heimwee naar een leven, een relatie en een droom die ze in feite nooit hebben gehad. Een uitdragerij van gevoelens, dingen waaraan hij een eeuwigheid niet heeft gedacht, die hij niet wil en nu moet hij er iets mee. Ze zou een fijn leven kunnen hebben als ze dat wilde. RL zou het prima vinden. Hij wou alleen dat ze haar fijne leven ergens anders had, op Hawaii, bijvoorbeeld, waar ze trouwens een paar jaar heeft gezeten, en daarmee zijn leven gemakkelijk maakte.

Dawn is er niet om zijn leven gemakkelijk te maken.

De telefoon houdt op en begint dan opnieuw. Zij weer. Hij heeft ooit van haar gehouden, kan niet anders. Ze hebben samen dat wonderkind gemaakt. Waar is dat gevoel gebleven? Wanneer is ze zo totaal en godsgruwelijk onuitstaanbaar geworden?

Hallo, zei hij.

Robert, met Dawn. Ik bel maar en bel maar.

Mijn telefoon deed het niet, loog hij. Ik wist het niet eens!

Heb je gehoord van Betsy? vroeg ze.

RL vocht tegen de neiging om op te hangen. Dit kon alleen maar de inleiding zijn tot slecht nieuws, Dawns lievelingsonderwerp.

Wat is er met haar?

Nou, het is terug.

Wat bedoel je met terug?

Ik geloof dat ze pijn in haar nek had of zo, zei Dawn. Ze ging naar het ziekenhuis in Bigfork en ik denk dat ze iets hebben gevonden toen ze daar röntgenfoto's maakten.

Een soort verlekkerdheid in haar stem wekte bij RL afkeer op als was het een ziekte, wat het was. Dit was het ware spul: ingewijdenroddel.

Dus ik denk dat ze er maandag heen gaat voor nog wat scans, zei Dawn, en ik vroeg me af of ze bij jou kon logeren.

Hoezo?

Nou, ze moet ergens overnachten. De nacht ervoor en erna, ze wil niet dat hele stuk terug in het donker door de vallei rijden. Bovendien heeft ze de volgende dag nog een nagesprek.

Nee, zei hij, dat begrijp ik wel. Maar waarom bij mij?

Ik zal het je eerlijk zeggen, zei Dawn – dat was de toon die ze aansloeg als ze op het punt stond een groot geheim te onthullen. Ze zei: De vorige keer met al die narigheid had ze zo'n negatieve invloed, weet je? Al die negatieve energie, daar heb ik op het moment gewoon geen ruimte voor in mijn leven. Ik heb momenteel moeite zat om mijn hoofd boven water te houden, Robert, ik kom om in de zorgen.

Maar ik kan dat wel hebben.

Jij laat zulke dingen niet zo op je inwerken, Robert. Jij voelt ze niet op die manier.

Dank je.

Je weet wat ik bedoel.

Hij wist precies wat ze bedoelde: een dikhuidige sukkel die door het leven stampte over een pad van andermans gevoelens. Dat ben ik! dacht hij. En ook: Sodemieter op!

Maar dat zei hij niet.

Zo kwam het dat RL op een regenavond in het vroegst van september uit het raam zat te staren, wachtend op de koplampen. Hij zat in zijn eentje in zijn eetkamer. Het was rond acht uur. De regen was laat in de vooravond begonnen en RL had niet de moeite genomen om een lamp aan te steken, dus nu zat hij in het halfduister naar de regen te luisteren. Layla was ergens naartoe en zou algauw weer naar Seattle vertrekken, terug naar de universiteit. Hij zat thuis in dit weemoedige licht, het druipende donker. Alleen in het donker. De afgelopen weken had hij mensen om zich heen gehad, klanten waarmee hij rivieren afzakte, potentiële huurders voor zijn huisjes – het volk en RL de volksvriend. RL had rust nodig, en tijd voor zichzelf. Straks zou Layla weer in Seattle zitten en zou hij omkomen in zijn rust.

Hij wist dat hij moest opstaan om het licht aan te doen, al was het maar als teken dat er iemand thuis was, maar hij deed het niet.

Hij kwam pas in beweging toen hij haar Toyota-pick-up in de oprit hoorde uitreutelen. Een vaag gevoel betrapt te zijn. Hij wilde niet dat Betsy dit van hem wist, dit alleen in het donker zitten. Een man met gevoel, een man van de daad. Het kostte hem een minuut om in actie te komen, met tegenzin.

Hoi, zei ze. Hoe ís het met jóú?

Hij was haar accent vergeten, nog vaag Tennessee. In het buitenlicht zag ze er mooi uit. Dat was hij ook vergeten: de fijne trekken van haar gezicht, haar donkere, gladde huid. Ze was groot, bijna even groot als RL. In één hand had ze een weckfles met helder spul erin en met de andere klemde ze de hengsels vast van een reusachtige, veelkleurige mand, alsof ze van huis was weggelopen. Ze haastte zich om hem te omhelzen, en de mand sloeg tegen zijn rug.

Kijk nou toch, zei ze. Zit je daar moederziel alleen in het donker.

Hoe gaat het met je?

Ik weet het niet, zei ze grijnzend. Niet zo heel goed, geloof ik, maar daar horen we morgen meer over.

Ze kwam zoals altijd binnen met haar mand en pot en allerlei andere tassen en bundels. Ze bewoog zich te midden van haar eigen rommelmarkt door het leven, omringd door rommel. Een deel ervan was breiwerk, een deel etenswaar.

Ze gaf RL de weckfles en zei: Ik heb illegaal gestookte whisky voor je meegenomen.

Uitstekend, zei hij. Ga ik eraan dood?

Als je het achter elkaar opdrinkt wel. Een glaasje of twee kan geen kwaad.

Ze gingen aan de eettafel zitten en RL haalde borrelglaasjes en flesjes bier. Normaal had hij liever ordinair Amerikaans bier in blik, maar Betsy zou dit lekkerder vinden, plaatselijk gebrouwen uit natuurlijke ingrediënten. *Verantwoord* bier.

Ik niet zoveel, zei Betsy toen hij haar de borrel inschonk. Neem jij ook niet zoveel als je weet wat goed voor je is. Van dat spul ga je naar de maan blaffen.

Waar heb je het vandaan?

Dat mag ik niet zeggen.

Ze klonken met de borrelglazen en RL sloeg zijn kleurloze whisky in één keer achterover. Het gleed als napalm zijn keelgat in en maakte hem aan het hoesten, zo hard aan het hoesten dat hij moest opstaan om weer lucht te krijgen. Iets, de whisky of het gebrek aan lucht, steeg meteen naar zijn hoofd en hij zag raketjes en zwevende lichte stippen voor zijn ogen.

Jezus, Maria en Jozef, zei RL.

Ik heb je gewaarschuwd, zei Betsy, en ze nam zelf een damesachtig nipje.

Dat wel, maar je had het me kunnen verbieden, zei hij. Nou, wat is er aan de hand?

Hij ging weer tegenover haar zitten en lette op haar gezicht terwijl ze overwoog wat ze hem zou vertellen en hoe. De koude herfstregen viel in de struiken buiten, siste in het gras en stroomde langs de trottoirs. Het was een avond om binnen te zijn en nu Betsy er was, was RL blij dat hij gezelschap had. Dit was geen avond om alleen te zijn. Het branden in zijn keel werd warmte in zijn buik en straalde langzaam uit naar zijn armen en dijbenen en hoofd.

Ik weet het niet, zei Betsy. Ik wil er eigenlijk niet over praten.

Je ziet er goed uit.

Ja, ik voel me goed. Ik sta elke morgen om kwart voor vijf op en ga naar buiten, mijn geiten melken, dan help ik de kinderen naar school en daarna ga ik een eind hardlopen. Ik zorg goed voor mezelf. Ik voel me uitstekend. Ik eet direct van de basis van de voedselketen.

RL tikte met zijn glaasje tegen de pot whisky en zei: Blij te horen dat dit goed voor je is.

Je weet wat ik bedoel.

Weet ik, zei hij. Het is niet eerlijk.

Daar gaat het niet om, zei ze. Dat idee heb ik de vorige keer al van me afgezet. Niks is eerlijk.

Ze zweeg en zag er zo verloren en triest uit dat RL voor haar wilde zorgen: soep voor haar maken of haar onder een dekbed stoppen. Hij voelde opeens haar gewicht, zoals een lichaam plotseling zwaar wordt als het verslapt. Haar gewicht was aan hem overgedragen.

Heb je honger? vroeg RL.

Weet je wat het is? zei Betsy. Neem me niet kwalijk, ik zou gewoon mijn mond moeten houden. Dit is zoveel meer dan je van me nodig hebt. Het is zo lief van je dat ik bij je mag logeren. Dat je mijn overlast voor lief neemt.

Vertel nou eens, zei RL. Wat is er aan de hand?

Ze nam even de tijd, nam een slokje whisky, rilde van de smaak en het branden, vermande zich toen. De huid van haar gezicht was schraal en getaand door het buitenleven. Ze had nog steeds een knap gezicht, maar haar handen hadden net zoveel kloven, rimpels en vlekken als die van hem. Onze handen verraden ons altijd, dacht hij.

Alles wat ik weet, zei ze. Alles wat ik geloof over het universum, zegt me dat intentie alles is, weet je? Focussen op het doel. Je kijkt naar waar je heen wilt en maakt je geen zorgen waar je eventueel terechtkomt als je het faliekant verprutst. En weet je, mijn geiten, mijn kinderen, mijn huis, ik heb voor *honderd procent* geleefd alsof ik erbij zou blijven. Ik was daar duidelijk over, Robert. Ik was honderd procent doelgericht. Ik weet wat ik wil en dat wil ik helemaal, daar ben ik absoluut duidelijk in.

Dingen gebeuren, zei RL. Die vorige keer, dat heb je niet jezelf aangedaan. Het was niet jouw schuld.

Nee, het was niet mijn schuld, zei Betsy. Maar er was op dat moment een hoop negatieve energie in mijn leven.

RL keek naar haar met een beangstigend akelig gevoel in

zijn hart. Betsy was nog steeds mooi en had een goed karakter, maar ze geloofde in allerlei dingen die niet waar waren en zei dingen over zichzelf die absoluut onzin waren. Ze liep rond in haar eigen dikke wolk van negatieve energie die ze zelf opwekte, maar dat kon ze niet zien. Ze kon zichzelf niet zien. Ze was blind.

Dat is het moeilijke, zei Betsy. Ik dacht dat als mijn intentie maar goed was, als ik duidelijk was, recht door zee... Nu weet ik niet wat ik ervan moet denken. Waar ik het moet plaatsen.

Misschien krijg je morgen wel goed nieuws. Wat staat er trouwens te gebeuren?

CAT-scan, PET-scan, catch-as-catch-scan, ik ben het vergeten. Een soort van foto's.

Misschien is het niets.

Misschien, zei Betsy. Ze hebben iets gevonden in Bigfork. Ik weet niet eens wat ik moet denken, Robert. Ik weet niet wat ik moet doen.

Ze keek hem recht in zijn gezicht, alsof ze daar een antwoord kon vinden. RL merkte dat hij bijna begon te blozen. Hij kon dit niet oplossen. Hij kon haar niet vaderlijk sussen. Toch wilde hij haar redden.

Neem me niet kwalijk, zei ze en ze liet er een bitter lachje op volgen. Het ergste soort gast.

Weet je wat gek is. Je liep pal langs mijn pick-uptruck

toen je hier aankwam en ik heb je er nog geen kwaad woord over horen zeggen.

Ze lachte weer, en weer was het geen opgewekt geluid.

Ik heb het gehad met de aarde, zei ze. Laat iemand anders die maar redden. Iemand die erbij zal zijn. Mijn kinderen mogen de aarde redden als ze dat willen. Wat mij betreft, ik heb het gehad. Laten we maar televisie kijken.

Je haat televisie.

De laatste tijd niet meer, zei ze. De laatste tijd is er niks waar ik zo van geniet.

En dus gingen ze naast elkaar op de vrijgezellenbank zitten, waarvan het dikke, weelderige leer maar langzaam de warmte van hun huid aannam, en RL gaf haar de afstandsbediening en haalde koud bier voor hun tweeën en de regen viel achter de ramen terwijl ze langs de sportkanalen zapte; langs modellen en modeltreinen en bezorgde gezichten; explosies in de lucht en plaatjes van hetzelfde bier dat ze dronken; auto's en achtervolgingen; vurende geweren; ernstig gesprek over de vlag; honkbal; straaljagers die door de lucht sneden en oneindig kopen, kopen, kopen, glanzende plaatjes met meer. Ze kon niet kiezen. RL dacht dat ze het allemaal wilde, die hele nepwereld, honderdtwintig kanalen niks en allemaal in haar binnenste, een wereld zonder haar, een wereld zonder einde. Naast haar en mijlen-, mijlenver. Hij had zich nog nooit zo eenzaam gevoeld. Hij wilde haar gelukkig maken. Hij wilde dat ze zich veilig voelde. Hij kon willen wat hij wilde, maar hij zou krijgen wat hij kreeg.

*

*Alleen dat ene* meisje, had Daniel gezegd, en maar twee keer. Het was dronken gedoe geweest, meer niet. Eigenlijk meer toeval dan wat anders. Het feit dat hij het haar vertelde was het bewijs dat ze hem kon vertrouwen.

Layla was in de Sportvisser om Edgar gezelschap te houden, het was een stille dinsdag. De regen was opgehouden maar het water stond hoog en was nog vuil en er kwamen nauwelijks klanten. Over een paar dagen zou ze naar Seattle gaan, of niet. Er was niemand om mee te praten, niemand om het te vertellen. Ze had het er zelf naar gemaakt, nu zat ze ermee.

Blijf zo zitten, zei Edgar. Precies zo.

Het licht was aan in de winkel, maar zo laat op de middag waren er geen klanten. Ze zaten in het kantoor met het licht uit en Edgar maakte een schets van haar gezicht. Gelukkig was het zijn linkerarm die in het gips zat, zodat hij nog kon tekenen. Layla kon het licht op haar eigen gezicht natuurlijk niet zien, maar ze zag het op het zijne en het was mooi licht, zacht en grijs. Iedereen zou er goed uitzien in zulk licht, zacht door de wolken, grote onverlichte ramen.

Vertel eens wat, zei Layla.

Geeft niet wat.

Ach, laat ook maar.

Wat is er? zei hij. Je gezicht staat op huilen.

Níks, zei ze. Alles is honderd procent oké.

Blij om dat te horen, zei Edgar. Hij ging door met schetsen. Af en toe stelde Layla zichzelf voor in een grootser leven, een Russisch leven, een leven dat schitterde en sprankelde. In Seattle werd ze er vaak aan herinnerd dat ze maar een meisje uit Montana was, een boerentrien. Ze kon drinken en ze kon vissen, maar alle anderen konden alles. Op andere momenten mijmerde ze dat Edgar misschien ontdekt zou worden – zo goed was hij echt – en dan zou hij een beroemde schilder zijn en zouden er portretten van haar zijn! Toch een lijntje naar die schitterende sprankelwereld. Een rockband had al een van Edgars schilderijen gebruikt voor de cover van hun cd, al zou het niks worden met die band. Een droeve grondtoon in haar binnenste die met champagne te bestrijden zou zijn, dacht ze. De wind draaide en dikke regendruppels spatten tegen het glas. Doe dit, doe dat, ga zo staan, sta stil. Een heimelijk genoegen om te horen wat je moest doen. Sinds het ongeluk maakte Edgar voortdurend een bozige indruk, het gips zat hem steeds dwars. Hij zat te veel thuis en de rest van de tijd in de winkel en niet buiten op het water, waar hij van hield. RL hield ook van het water, maar niet zo van de klanten. Edgar scheen geen moeite te hebben met klanten. Iets dierlijks en innemends. Layla had zijn rugspieren gezien als hij aan de riemen trok, zo moest je een lichaam laten werken. Hij was ontspannen op het water, ontspannen aan de riemen, zijn lange armen elegant. De boot bewoog moeiteloos, bijna onopzettelijk, wanneer hij op het water was. Maar nu hij opgesloten zat, had hij iets kriegeligs, iets slungeligs en stijfs. Fronsend keek hij naar het schetsboek, probeerde iets met de muis van zijn hand te herstellen, maar gaf het op en sloeg de bladzij om.

Mag ik het zien?

Nee, zei hij.

Omdat het niks is, daarom, zei hij, voordat Layla het kon vragen.

Ze liep naar hem toe en sloeg de bladzij zelf terug. Het was haar gezicht maar ook weer niet – iemand die meer wist dan zij, die meer verdrict had gezien. Layla voelde zich die iemand worden, wat ze niet wilde. Die hele wereld die buiten op haar wachtte. Bij tijden had ze het gevoel dat ze die kon ontlopen, als ze maar snel genoeg was, maar nu begreep ze dat ze nooit snel genoeg zou zijn.

Ik zie er oud uit, zei ze.

Je bent gewoon moe.

Ze had het hem toen bijna verteld: Daniel, de klootzak. Ze zag zijn gezicht voor zich in een golf van nieuw verdriet, een kleverig donkerblauw vocht. Niemand hield van haar.

Ik ben vandaag oud, zei ze.

Voel je je niet goed?

Nee, zei ze. Ja, het gaat best. Maar ik ben moe, dat is alles. Je hebt gelijk.

Ik ga een kop thee maken, zei Edgar. Wil je ook thee?

Nee, zei ze. Nee, ja. Een kopje thee lijkt me lekker, dank je.

De ketel stond aan de andere kant van de stille winkel en hij liet haar in dat tere licht achter. Ze luisterde naar al die kleine geluiden, de regen op de ruiten, het zoemen van de tl-buizen, het slissen van autobanden op nat wegdek en het klateren van de regenpijpen. Na een minuut begon het water in de ketel te suizen. Kom terug, kom terug, dacht ze. Ze wilde Edgar weer bij zich hebben, iemand die haar zei waar ze haar handen moest laten, hoe ze haar gezicht moest keren, iemand die haar zei wat ze moest doen.

*

*Hij was eerder* met Betsy naar bed geweest, lange tijd eerder. Het was geen geheim, het was geen keerpunt. Maar niet iets waar RL graag aan terugdacht. Zoals veel van zijn leven in die tijd, leek deze ervaring pijnlijk en onafgerond, pijnlijk omdat het onafgerond was.

Hij herinnerde zich de vorm van haar naakte lichaam, haar gladde zeehondenlengte in de warme bronnen in Idaho, in de besneeuwde bossen – stoned keken ze hoe de sneeuwvlokken op hun knieën en haar landdden. Was dat toen ze de eland zagen? Ze lagen een keer naakt in het grindbad toen een elandkoe met twee kalveren een eind verder de open plek op zwiert, stilletjes opgedoken vanuit de ceders en varens en mist en ze bleven er een uur lang grazen, zonder acht op hen te slaan. Een andere keer hadden ze vreemde onderwaterseks en daarna rolde zij hem de sneeuw in en volgde hem en rolden ze als jonge zeehonden door de sneeuw, kietelend en plagend. Was dat ooit gebeurd? Het lijkt een ander leven, het leven van een ander.

Dat was in een periode tussen Dawn en Dawn, een moment dat ze uit elkaar waren of zij belangstelling had voor iemand anders of voor de winter naar Californië was getrokken of zoiets. Ze was echt een verschrikkelijke vriendin. Hij wist precies waaraan hij begon toen hij met haar trouwde.

Dus: een paar maanden, een winter en een lang koud voorjaar, een vreemd mengsel van deugd en ondeugd, kruidenthee en sigaretten, zilvervliesrijst en cocaïne. RL was vroeger verzot op de hippiemeisjes – o, zeker – voordat ze allemaal dertig werden en streng en zuur. De tijd dat iedereen nog rookte. Het was een andere wereld als je er nu op terugkijkt. Hij heeft er nooit bij gehoord, hij bleef vlees eten en sterkedrank drinken en om vijf uur uit hun geparfumeerde paisleybedden opstaan om naar Wolf Creek te rijden en te gaan vissen in de Missouri.

De wereld leek toen wel interessanter en afwisselender. RL vroeg zich af of dat werkelijk zo was, of het alleen maar zo had geleken omdat het allemaal zo nieuw voor hem was.

Maar ze hadden iets van hem nodig en hij wilde iets van hen. Niet alleen aandacht, niet alleen seks. Wat? Hij heeft het nooit echt geweten.

Die keer dat hij bij een meisje in bed wakker werd en durfde te zweren dat hij haar nooit eerder had gezien, haar liet slapen, daarna nooit meer heeft gezien... Het was een andere tijd. Alles voelde anders.

De kwestie met Betsy was twee kwesties: één, ze was in de buurt gebleven – niet hier, maar bij die vreselijke hippieman van haar in de Swanheuvels, maar vaak genoeg in de stad om deel uit te maken van het wereldje, om degene te worden die in haar zat en wachtte om naar buiten te komen. Ze was er nog. Ze waren er allemaal nog.

Kwestie twee was de manier waarop het was afgelopen. Het was nooit voor het leven, voor een huwelijk bedoeld geweest. Ze mochten elkaar, ze sliepen samen. Hij nam gerookte witvis voor haar mee; hij nam rode wijn voor haar mee; hij nam haar mee naar de top van de Snowbowl in zijn driekwart ton '65 GMC-pick-up en daarna met de skilift omhoog om naar de zonsverduistering te kijken. Dat hele lange voorjaar lang, terwijl de zwart geworden sneeuw buiten smolt en elk avond weer bevroor, dronken ze kruidenthee en whisky en bestudeerden ze kaarten van de Bob Marshall- en de Scapegoat Wilderness, en maakten plannen over waar ze in augustus heen zouden gaan, de Scapegoat Mountain op en vandaar naar de Chinese Wall, of misschien naar de White River, die vol moest zitten met grote vette roodkeelforel, dom als eendvogels. In maart gingen ze naar Seattle om koffie te drinken en een paar vrienden van haar te bezoeken. In april reden ze naar Utah vanwege de woestijnzon.

Het was goed zo, vond hij. Ze waren partners, reisgenoten. Maar later ging ze bomen planten, toen die lente de sneeuw in het binnenland verdween, met een team uit Oregon dat vanuit Avery, Idaho, werkte. Ze reed dan op de locomotieven heen en weer naar de bars van Missoula, op weekends dat ze uitbetaald kregen en in het begin ook de andere weekends. Ze kwam hem altijd opzoeken. De Milwaukee-lijn zou worden opgeheven, het kon niemand nog een moer schelen en ze kenden een knappe lesbische meid, Denise, een professionele remmer op de lijn. Een paar keer was RL haar per spoor gaan opzoeken, het was uren sneller dan met de auto, en zat dan op de voorste loc terwijl ze over de Bitterroot Divide kropen, met kilometers groene leegte en graniet voor hen, en de wildernis die zich achter hen sloot.

En toen was het op. Uit. Op een betaalweekend in juli zat hij de hele vrijdagnacht te wachten zonder iets van haar te horen. Het hele weekend niks, noch de week erna of daarna.

Hij hoorde via vrienden van vrienden dat het goed met haar ging, ze kwam alleen niet naar de stad, er was iets gaande, niemand wist precies wat. Gewoon weg. Liet hem zitten met lucifers naast zijn kaarsen en een fles gin in de vriezer. Dat was de eerste zomer dat hij voor Saul Pohler werkte en die oude rotzak hield hem godvergeten druk met het heen en weer rijden van boottrailers, inpakken van lunches, binden van vliegen en zelfs een paar keer gidsen als ze erg omhoog zaten – al vond Saul dat hij niet genoeg wist om te gidsen, hem dat ook zei – en de zomer ging voorbij en toen, in september, kwam de uitnodiging voor Betsy's huwelijk. Elizabeth Ann Broughton. Hij had tot dan toe haar tweede naam nooit geweten.

*

*De laatste wolkeloze* warme dag van de zomer vertrokken ze vanaf natuurpark Big Arm in Howards speedboot en zetten koers naar Wild Horse Island, June, Howard en Layla. Het was vlak na Labor Day, en de kasten van huizen die als stations van een pleziertreintje langs de rand van het meer lagen waren allemaal verlaten, op een of twee na: een ouder echtpaar dat in de zon zat te lezen, een studente die aan het eind van haar steiger als een hagedis lag te zonnen.

Het meer strekte zich van hier dertig kilometer naar het noorden uit, blauw als een oog, uitlopend in het witte Swangebergte. De regen van vorige week was in de bergen als sneeuw neergeslagen. Op het meer voelde het zomers aan – het wás zomer – maar boven in de bergen was de seizoenwisseling begonnen. Het was een dinsdag en ze hadden allemaal het heerlijke gevoel van spijbelen, een gestolen dag terwijl de rest van de wereld aan het werk was. Eigenlijk was Howard aan het werk – hij moest een blokhut op het eiland bekijken – maar geen van beide vrouwen hoefde speciaal ergens te zijn. June had haar normale weekenddienst gedraaid en de universiteit begon pas over twee weken.

June had geen andere verplichtingen, maar toch dat verrukkelijke idee van een gestolen dag. Howard had zijn cowboyhoed verruild voor een honkbalpet met King Ropes Sheridan Wyoming erop: hij stond op blote voeten achter het stuur, spleet de wind met de boeg van zijn snor en voer veel harder dan nodig was. Het koele meerwater stoof op en trok als mist over de vrouwen die op de achtersteven met cola light zaten te luieren. Allemaal cadeautjes, dacht June: deze dag, dit zonlicht. Dagen waarop het leven gemakkelijk leek. Ze had ze niet zo vaak, maar ze wist – toen ze van de steiger wegvoeren met een volle tank benzine en een afgeladen koelbox, geen afspraken en haar mobieltje veilig opgeborgen in haar auto – dat dit een makkelijke dag zou worden.

Zelfs Layla, Layla was een cadeautje. Zonder Layla zouden het alleen June en Howard zijn geweest en daar was ze nog niet aan toe. Als ze er al ooit aan toekwam. De raadselachtige derde, dacht ze. Gisteren had ze gezegd dat ze mee zou gaan, maar had daarna de hele dag een gloeiend klompje angst in haar buik gevoeld. Wel vijf keer had ze de telefoon opgepakt om hem te zeggen dat ze toch niet meekon, maar ze kon geen goede smoes verzinnen. Ze was sowieso niet goed in smoezen. Toen was Layla langsgekomen, zonder aankondiging of uitleg. Ze zei dat ze een stukje aan het rijden was en licht bij haar zag branden. June vond het ongeloofwaardig klinken. Haar huis lag zeventien kilometer buiten de stad en aan de andere kant van de vallei. Maar waar ze dan wel voor kwam zou June nooit weten. Ze was blij haar te zien. Ze dronken een glas wijn op de veranda, luisterden naar de kalme nacht en praatten over niets bijzonders. Misschien was dat het, dacht June. Misschien had het meisje alleen maar een hart nodig dat naast het hare klopte, even ontspanning en een praatje.

Aan het eind van de avond had ze, zonder het eerst aan Howard te vragen, Layla mee uitgenodigd naar het meer.

Howard leek verrast, maar niet geërgerd toen hij het hoorde. Ze kon totaal geen hoogte van hem krijgen.

Die geheimzinnige derde, dacht June. Iemand om voor op te treden, iemand die scheidsrechtert. Het stapelen van foutje op foutje. Het was zo moeilijk te weten wat je moest zeggen! Alsof je halverwege een film binnenkomt en probeert uit te puzzelen wat eraan voorafging. Howard had mixdrankjes en breezers voor ze meegenomen, maar voor zichzelf O'Doul's, wat betekende – ja, wat? June realiseerde zich toen ze dat maltbier zag, dat ze Howard nog nooit een borrel had zien nemen, en toch was ze er zeker of bijna zeker van (waarom?) dat hij er onderweg een paar had genomen. Maar met Layla aan boord kon de kwestie niet aangesneden of zelfs maar opgemerkt worden: alles was koek en ei, en probleemloos gebabbel.

Howard schakelde de motor plotseling naar trolsnelheid en de voorsteven van de boot zakte terug in het water. Hij stopte voor de oever bij een hoog huis met glasgevels, die als een paar biddende handen naar de hemel wezen.

Zien jullie dat huis?

De vrouwen knikten.

Coach van de Detroit Pistons, zei Howard. Ik heb er nog nooit een sterveling gezien.

Laten we de fik erin steken, zei Layla.

Ja, kom op, zei June.

Howard gooide het gas open en de boot begon weer te scheren. Komt niks van in, schreeuwde hij. Op deze boot zijn we vóór vastgoed.

June zei niets, maar ze was er niet zo zeker van – al die miljoenen dollars, al die lege, stille kasten. De enige huizen die bewoond leken waren de oude pa-en-ma-optrekjes, kleine houten vakantiehutten met kano's op het grasveld, maar die vielen wat formaat en aantal betreft in het niet bij de parvenu-kastelen, hoge glaspuien en grote speedboten in overdekte oeverloodsen. Een snelle, heftige heimwee lag daar in de zon – zij en Taylor en soms RL en Dawn hadden er vaak voor een week in de zomer een huisje gehuurd, hasj gerookt op de steiger en naar de vallende sterren gekeken... Het leek zo kort geleden: het leek onmogelijk dat het baby'tje dat Dawn in een draagzak mee naar Junes bruiloft had genomen nu tegenover haar zat, langbenig en knap. Taylor, dacht ze, terwijl ze over het water scheerde in de boot van een andere man. Zelfs de wereld waarin ze leefden was verdwenen, de keten en vervallen vakantiehuisjes met namen als 'Ons Ruggenbrekertje'.

Ze zou hier niet moeten zijn. Het drong plotseling, maar diep tot haar door. Het was verraad.

Toen herpakte ze zich. Een val, een troost, eenzelfde soort verdriet. Het was haar vriend niet, hield ze zich weer voor. Maak van je kwaal geen vriend.

Toen ze opkeek zag ze Layla naar haar grinniken.

Het was net alsof je ruzie met jezelf had, zei ze.

Had ik ook, zei June en ze grinnikte terug.

Ga je mee zwemmen?

Denk je dat het warm genoeg is?

O, ja, zei Layla. En veel warmer wordt dat water niet. Kapitein Howard!

Jawel, dame.

Kijk eens of je een zwemplek voor ons kan vinden.

Howard zette meteen de motor af, en de boot viel terug in zijn eigen kielzog, wit schuimend water deinde hun voorbij. Hij zei: Hier dan maar.

Een beetje yang, vond June. Een overdosis aan manlijke energie. Maar voor ze erover na kon denken en terugkrabbelen, stond ze op, trok in één beweging haar T-shirt uit en dook.

Het water was onmiddellijke, allesomvattende kou. Zodra haar vingers het koude water raakten, schreeuwde haar lichaam fóút, probeerde te leviteren maar kon het niet, en plonsde diep in de nog koudere diepten. Ergens hoorde ze nog een plons en wist dat het Layla moest zijn die haar nadook. June zwom naar de oppervlakte, schudde het water uit haar ogen en daar was Layla, en ze begonnen allebei te gillen van de kou. Als kleine kinderen in een openbaar zwembad krijsten en gilden ze nog eens, luid en doordringend, pure yin.

Ze krijsten voor hun eigen plezier en dat hadden ze. Maar toen June opkeek, zag ze Howard Emerson op de achtersteven omlaag staan kijken als een strenge rechter, een halsrechter vond June, en ze draaide zich naar Layla en gilde opnieuw, harder. Layla gilde terug. Ze besteedden geen aandacht aan Howard. Wat een heerlijke meid, dacht June.

Toen de plons van een bommetje en ook Howard was in het water, dat wil zeggen, voor het grootste deel – pet strak op zijn hoofd en snor droog en borstelig. Hij had wel zijn piepkleine zonnebril afgezet. Hij tuurde naar hen, van het ene vage gezicht naar het andere (June had heimelijk een keer zijn bril geprobeerd en zijn ogen waren echt zo goed als hopeloos) en hij zag er nu machteloos en verward uit. Zo vond June hem aardig. Ontdaan van zijn manlijke pantser, die hoornachtige buitenlaag, zag hij er opeens benaderbaar uit. Zo zou hij altijd kunnen zijn. Hij kon aantrekkelijk zijn.

Dit doet me denken aan Nieuw-Zeeland, zei hij, en de zeepbel knapte. Hij had weer gelijk. Hij had altijd gelijk.

Maar waarom deed June zo muggenzifterig? Dat hoefde helemaal niet.

Als egeltjes, dacht ze. Heel, heel voorzichtig.

Wanneer was je in Nieuw-Zeeland? vroeg ze opgewekt.

Een tijd terug, zei hij. Twintig, dertig jaar geleden. Toen het nog een eind buiten de platgetreden paden lag.

En wat deed je daar?

Ach, zei hij, terwijl hij zijn benen voor zich uit liet drijven en loom met zijn handen peddelde om boven water te blijven. Hij zei: Ik had een ander leven. Ik was een beetje een surfgek.

Goh, wat interessant, zei ze; al werkten al die vermommingen, die andere levens haar wel op de zenuwen. Cowboy, surfer, indianenopperhoofd, dacht ze. Het leek wel alsof ze met de Village People op stap was.

Blauw water en de bergen die er steil uit omhoogkomen, zei Howard. Sneeuw op de bergen. Natuurlijk was het daar totaal anders, maar het leek net zo.

Er erg op, dacht ze. Niet *net zo*. Maar ze zei niets.

Het water is kóúd, zei ze.

Het went wel.

Als je tenminste voor die tijd niet van de kou bent gestorven.

Niemand sterft eraan, zei Howard. Je kunt hier niet aan

sterven. Misschien wel als het wat kouder was. Ik ben eens uit een boot in de Puget Sound gevallen, en het was kantje boord of ze de boot nog op tijd konden keren.

Was het een kleine boot?

Nee, best een flinke jongen, zeker tien meter.

Hoe val je overboord?

Dat is echt geen kunst.

Het wordt niet gezegd, dacht ze. Het moest drank zijn. Vechten. Iets waarover hij nog niet wilde praten, een afgesloten hoofdstuk en hopelijk lang geleden. Ze strekte zich op haar rug in het water uit en keek naar de diepblauwe lucht, flarden en vegen van hoge wolken. De bovenste vijftien of twintig centimeter water waren bijna warm van de zon. Wat wilde ze van hem?

Dat was een moeilijke periode in mijn leven, zei hij. In Seattle.

Toen ze hem dit hoorde zeggen, besefte June dat ze niet wist waar Layla was. Hij zou zoiets nooit binnen haar gehoorsafstand zeggen. Ze keek om zich heen en zag haar nergens.

Waar is ze? zei June.

Het meisje?

Het meisje, zei June. Waar is ze gebleven?

Howard spartelde overeind en tuurde met zijn wazige ogen de horizon af. June zelf draaide rond in het water en zag toen, bij toeval, Layla's zeehondenhoofd een meter of dertig verder opduiken, richting China zwemmen. Gladde dolfijn, dacht ze. Mooie meid.

Daar is ze, zei June.

Waar?

Helemaal daar, zei June wijzend, en Howard draaide zijn hoofd die kant op, ook al kon hij haar onmogelijk zien. Het ontroerde June, zijn bereidheid om te beschermen. Manlijke mannen en moeilijke meisjes, dacht ze. Waar wilde Layla in godsnaam heen?

En waarom werd iedereen opeens gek? Kon Layla niet gewoon op haar beurt wachten?

Layla! schreeuwde ze. Layla, waar ga je naartoe?

Maar haar stem ging onmiddellijk verloren in de uitgestrektheid van het water en stierf binnen een paar meter weg. June voelde zich klein en het water was koud.

We kunnen haar maar beter gaan halen, zei June.

Ik zie haar nog steeds niet, zei Howard.

Nou, ze is daar verderop, zei June. Laten we haar maar gaan halen.

Wat is ze aan het doen?

Iets krankjorums, zei June. Ik weet het niet.

Ze klauterden via de zwemladder aan boord en er volgde een klein moment van waarheid: Howards prominent ogende dinges in zijn natte zwembroek, Junes slappe vet onder zijn starre blik. O, het lichaam, dacht June. Hij was klein zonder kleren, en bleek als een Schot waar de zon hem niet raakte: zijn bovenarmen en rug en buik en benen, maar hij zag er stevig uit en was helemaal niet dik. June wist dat ze er best aardig uitzag voor wie ze was. Maar ze had zichzelf te vaak in de spiegels van de fitnessclub gezien om graag bekeken te worden. Ze was prima voor haar leeftijd maar het was geen prima leeftijd.

Maar Howard was een heer, hij wendde zijn blik af, trok een T-shirt aan, startte de boot en zette de jacht op Layla in, die hij nu kon zien met zijn zonnebrilletje op.

Wat is die meid van plan? zei hij, meer tegen zichzelf dan tegen June.

Ze had geen antwoord. Overwoog even om een hemd over haar wetsuit aan te trekken, maar dat voelde als een laffe daad. Dit ben ik, dacht ze, een beetje oudbakken, een beetje tweedehands. Dit ben ik.

Ze haalden Layla in en Howard zette de motor af.

June vroeg: Wat ben je aan het doen?

Layla watertrappelde een ogenblik en zei toen: Zwemmen. Ik had zin om te zwemmen.

Dat zie ik. Wil je aan boord komen?

Niet echt. Is dat oké?

June keek vragend naar Howard. Hij zei: We hebben de hele dag.

Mooi zo, zei Layla, en ze dook onder water en kwam boven in de crawl: lange, soepel bewegende ledematen zonder haast of gespetter op weg naar – waar? Ze zwom de kant op van Bigfork, bijna twintig kilometer verder. Ze was op weg naar het grote lege midden van het meer, geen huis meer in zicht, alleen heuvels en bergen en water. Na een paar minuten startte Howard de boot weer en ze volgden haar op trolsnelheid, hielden ruim afstand, lieten Layla alleen terwijl ze het lege hart van het meer in zwom. Het was dinsdag en iedereen was aan het werk en zij waren met z'n drieën alleen op het meer.

*

*Eind september* en regen, vier uur, iedereen heeft haast en niemand komt vooruit, remlichten weerspiegelen op de glimmende straten, RL rijdt in de grote Ford-pick-up met Betsy en haar manden en bundels naast hem op de bank.

Ik schijt bagger, zei Betsy.

Snap ik, zei RL.

Nee, snap je niet.

Nee, zei hij. Kan ik ook niet.

Even later zei ze: Ik denk dat ze me daar vanavond alleen willen hebben om een oogje op me te houden. Er gebeurt helemaal niets tot morgenochtend. Ik denk dat ze er gewoon zeker van willen zijn dat ik niks eet.

Weer even later zei ze: Ik denk dat ze er gewoon zeker van willen zijn dat ik geen lol heb.

Wil je een biertje halen? We hebben nog tijd, denk ik. Glaasje wijn?

Ik wil niet te laat komen.

Te laat voor wat? Je zei het net zelf.

O, zei ze. O, goed. Alleen ergens waar niet gerookt wordt.

Omdat roken slecht voor je is.

Die teringzooi is dodelijk, zei Betsy.

Je mag nergens meer roken, zei RL. Die tijd is voorbij. Jij gaat maar weinig uit, hè?

Ik wil het niet, Robert. Als het aan mij lag, kroop ik gewoon weer in mijn holletje terug, weet je, leefde ik mijn leventje tot het voorbij was. Ik ben verknocht aan mijn eigen bed en mijn eigen eten.

Tegenover hem aan een tafeltje bij het raam van de Depot Bar, met regenlicht dat over haar gezicht viel en een groot bruin glas ale voor zich op tafel, zei Betsy: Je mag nog roken in de Liquid Louie's.

Liquid Louie's, die was ik vergeten, zei RL. El dumpo magnifico. Staat die krankzinnige feeks daar nog steeds achter de bar?

Carol-Ann? Dat is mijn buurvrouw.

Al was ze de paus, zei RL. Ze heeft me er eens op een avond midden in een sneeuwstorm uit gegooid. Ik had iets verkeerds gezegd over de Green Bay Packers.

Ja, ze is gek op de Packers, zei Betsy. Toen vielen ze allebei stil. Het was vroeg, het uur voor happy hour, en ze hadden het café praktisch voor zich alleen, en het zachte grijze daglicht dat door het raam filterde maakte haar gezicht mooi en zacht, bijna jong. RL kon zich de vorm van haar lichaam herinneren, lang en groot, haar stralende grillige onverhoedse glimlach, als een gat in de wolken waar op een winderige dag het zonlicht doorheen jaagt... Het was een vergissing, vond hij, dat je moest kiezen tussen het een of het ander. Vroeger had je niet het idee dat je moest kiezen, goed of fout, het was gewoon iets wat gebeurde. Een ervaring in een tijd dat hij hongerde naar ervaring, net als iedereen. Hoe was dat gekomen, vroeg RL zich af, die behoefte om elke dag gelijk te maken aan de vorige? Hij zette elke dag zijn koffie op dezelfde manier, las de krant van achteren naar voren, droeg al minstens twintig jaar hetzelfde merk spijkerbroek. De voor-dood, misschien, dacht RL.

Betsy keek naar hem en glimlachte. Ze wist precies wat hij dacht. Dat sprak voor zich.

Heb ik je wel eens verteld over het waterfestival? vroeg ze.

Als je het hebt verteld, dan weet ik het niet meer.

Vlak nadat ik van de universiteit kwam, zei ze. De eerste keer dat ik alleen een grote reis maakte, ging ik naar Thailand. Susan Cohen zou meegaan, maar ze kreeg pfeiffer, tenminste, dat zei ze. Eigenlijk denk ik dat ze net een vriendje had en niet meer mee wilde. Hoe dan ook, ik moest kiezen: niet gaan of alleen gaan, wat ik eigenlijk niet wilde. Verveel ik je?

Nee.

Al die oude koeien. Het lijkt zo lang geleden. Bijna een ander leven.

Maar je bent gegaan.

Ja, zei ze. Ik wilde niet, maar ik had een paspoort en een ticket en ik dacht gewoon: Ach, barst, ik kan altijd eerder terug naar huis als het moet. Het was ook een rare tijd, omdat mijn ouders net waren overleden. Ik had geld, maar het was alles wat ik ooit zou krijgen. Ik wist bij god niet wat ik moest voelen.

Ik weet het nog, zei RL – en inderdaad, hij wist nog dat hij haar in zijn armen nam toen ze huilde. Hij had haar naar het vliegveld gebracht voor de vlucht naar huis, voor de begrafenis, maar het vliegtuig stond met ijsafzetting in Spokane en had uren vertraging. Ze werden uiteindelijk snotterend dronken in de luchthavenbar, terwijl ze naar de schaarse sneeuwvlokjes keken die door de witte ijsmist omlaag dwarrelden. Ook toen al vond hij het vreemd dat ze niemand anders had, een goede vriendin of zo, die haar naar het vliegveld kon brengen en haar hand kon vasthouden. Hij vond het niet erg – hij deed het graag, het gaf hem het gevoel dat hij nuttig was, maar hun moment was zeker al een jaar voorbij en nu was hij gewoon een vriend, met een verdrietig dronken meisje op een luchthaven.

Ik ging eerst naar Phuket, zei ze. Seks en drugs en rock-'n-roll, dag en nacht feest. Ik vond het vreselijk. Je kent me, ik ben zo'n zuurpruim! Maar de oceaan vond ik zalig, het voelen van dat water, die blauwe lucht en wolken. En het zand was daar zo zacht en wit. Ik belandde uiteindelijk op een eiland ten zuiden ervan, toen daar nog bijna alleen Thailanders woonden. Ik huurde er een spuuglelijk betonnen bungalowtje en op Phuket was een boekwinkel, en het enige wat ik deed was lezen en in de zon liggen, zelfs op de heetste uren van de dag. Als ik mijn ogen dichtdoe herinner ik het me nog, het gevoel van de zon en van het zand onder me. Het was voor een deel domweg voelen dat ik in mijn lichaam zat, en voor een deel dat ik er niet wilde zijn, weet je, dat ik mezelf wilde laten verdwijnen. Uitwissen. 's Avonds ging ik naar bars, Schotse whisky drinken. Verder in de zon zitten en *Anna Karenina* lezen. Overal om me heen hagedisjes. Daar komt dit allemaal vandaan.

Wat allemaal?

Het melanoom. Van de zon op Phi Phi Don. Zelfs toen wist ik dat het niet goed voor me was, maar dat was het wel, het voelde goed. Gewoon om iets uit mezelf weg te branden.

Geloof je daarin?

Jazeker. Ik geloof in intentie. Ik wilde mezelf uitwissen en zie: het lukt.

Ze grinnikte naar hem en nam een slokje bier. Een akelig, kil gevoel langs zijn ruggengraat. Ze had werkelijk geen greintje hoop. Opnieuw kreeg hij de Galahad-drang om haar te redden, haar terug te halen naar de wereld, bij de levenden. Hij wist dat hij het niet kon, wist dat hij het misschien zou moeten proberen.

Betsy zei: Ik ontmoette daar een Thaise jongen van mijn leeftijd. De enige die meer dronk dan ik. Iedereen rookte in die tijd Thaise wiet en ik wou dat we er nu wat van hadden, maar wij kregen allebei liever de hoogte van Scotch. En we werden op een ochtend met zo'n kater wakker dat we besloten dat we daar weg moesten, ik dacht dat we ons aan het dooddrinken waren en Ray vond dat we een spirituele plek moesten zoeken. Hij was echt heel aardig, die Ray. Hij had alles met me kunnen doen. Niemand lette ergens op en ik gaf mezelf gewoon weg aan wie maar wilde. Er gebeurden daar voortdurend krankzinnige dingen.

Ze zweeg, dacht terug. Zei toen: Een meisje belandde... ze vonden haar vastgeketend aan een bed. Canadees meisje. Maar nee, Ray wist een bus te regelen, had wat Coca-Cola en aspirine met codeïne voor de katers op de kop getikt, en we reden twee dagen lang naar het noorden helemaal tot Chiang Mai. Ik zat de hele weg te klapperen.

Ray? vroeg RL.

Zijn echte naam was ongeveer een straat lang, zei Betsy. Maar iedereen noemde hem Ray. Hij kende overal mensen. We kwamen in Chiang Mai en meteen had hij onderdak voor ons geregeld bij zijn neef in zo'n, tja, ik weet niet, een garage of zo achter zijn huis. Ik had geld, we hadden naar een hotel kunnen gaan, maar dit was avontuurlijker. En, ik weet niet, misschien waren er ook geen hotels. De mensen kwamen van heinde en ver voor het waterfestival. Er liepen olifanten door de straten. Al die kleren en kleuren en lachende mensen en de kleine kinderen – weet je, die begonnen als eersten water naar elkaar te gooien en toen werd het één groot waterballet. Het was zo stom, ik had een wit T-shirt aan en na vijf minuten was het zoiets als, wat vind jíj van mijn bh? maar niemand stoorde zich eraan. Ik weet niet eens of ze het opmerkten.

Je ziet er mooi uit.

Wat?

Het maakt je al gelukkig als je erover praat, én mooi, zei RL.

Nou, dat was ik, zei ze. Ik was mooi. Ik was *cool*, Robert. Voor één keer in mijn leven was ik op het juiste moment op de juiste plek. Maar alleen al, hoe zal ik het zeggen, door in die menigte te zijn – iedereen lachen en zingen en overal water –, het was alsof ik voor één ogenblik gewoon oploste, gewoon een atoom was tussen een hoop andere atomen, weet je? In plaats van míjn problemen en míjn leventje was het alsof ik deel uitmaakte van iets groters, als een cel in een lichaam – ik weet niet hoe ik het moet uitleggen. Het was prachtig. Het was echt prachtig.

Zo klinkt het ook.

Maar ik vraag me nu af of ik iets in mijn leven heb toegelaten wat ik niet had moeten toelaten. Een of ander pilletje dat er zo lang over heeft gedaan om op te lossen.

Dat heb je niet.

Dat weet je niet.

Nee, zei RL. Dat weet ik ook niet.

*

*Toen kwamen* de mooiste dagen van de herfst. De lariks kleurde goud in de heuvels, goud op groen, en de populierbladeren dreven in al hun tinten de rivier af. Edgar hield het niet meer, ging naar Rock Creek met zijn gips in plastic gewikkeld en viste eenhandig tot in de stralende middag, wadend vanaf de oever door de koude, heldere rivier. Het vissen zelf ging hem goed af, maar wanneer hij er een had gevangen, werd het een eindeloos geëtter, en er waren net motjes uitgevlogen en op elke zandbank lag wel een hongerige, argeloze vis. Hij haalde een zevenendertig centimeter grote regenboog onder een wilg op en verspeelde zijn vlieg en onderlijn toen hij die wilde bevrijden. De vlieg zou zich binnen een paar dagen uit de lip van de regenboog werken, maar toch zat het hem niet lekker. Niet de vlieg – daar zat voor een dubbeltje veren en vijf minuten werk in – maar de vis die hem meedroeg, het extra stukje rotzooi in de stroombedding, de paar maanden die het duurde voor het was weggeroest... Het was eigenlijk niks, niks belangrijks, maar het zat hem niet lekker. Een vis die rondzwom met een gele stimulator.

Hij ving nog een kleine bronforel en toen viel bij het onthaken zijn zonnebril in het water. Dit werd niet wat.

Hij klemde het handvat van de hengel tussen zijn tanden en nu lukte het – met de tang in zijn geblesseerde hand – om de kleine forel te bevrijden; daarna tastte hij onder water rond naar zijn bril tot zijn arm gevoelloos werd van de kou. Hij kon geen voet verzetten als hij zijn glazen niet wilde breken. Toen hij zijn vingers weer kon bewegen, klemde hij de hengel weer in zijn mond en hield de gipsarm omhoog en zocht weer de bodem af. Dit keer vond hij hem. De bril had het overleefd, zonder krassen. Maar zijn dagje vissen was voorbij.

Een uitbarsting van kinderlijke woede. Het was niet eerlijk. Hij had zo niks voor zichzelf met het kind en het werk, zo weinig tijd om vrij te besteden en hij had dat hele eind gereden… en opeens zakte zijn woede. Hij had nog de hele middag, niemand die hem vóór het avondeten verwachtte.

Edgar ging op de rand van de grindbank zitten kijken hoe de stroom aan hem voorbijtrok. Hij stak een sigaret op uit het clandestiene pakje dat hij in Clinton had gekocht. Op weg naar huis zou hij wat er nog van het pakje over was weggooien en pepermunt kopen in de hoop dat Amy niets aan hem rook naast de geur van zonnebrand, zweet en rivierwater. Het water vóór hem waaierde, na een stroomversnelling een eindje stroomopwaarts, uit in een brede, bedrieglijk diepe kolk onder aan een klif. Het had iets mooi Japans, dat donkere, kringelende water onder de rotswand. De motjes, kleine witte, landden op het water vanuit de groenblijvende bomen stroomopwaarts en de uitloop van de waaier voerde ze naar het stille midden van de rivier waar tientallen dikke forellen op ze lagen te wachten. Makkelijke prooi voor een twee-armige man.

Wist Amy het echt niet? Ze moest de rook aan hem kunnen ruiken. Deed ze alleen alsof het niet zo was? Dat leek helemaal niks voor haar, en toch... Hij vond die huwelijkse toestand maar verwarrend, een spel zonder regels, helemaal sinds het kind er was. Edgar hield van het kind, hield van de middagen dat ze met zijn tweeën alleen waren, hield van de geur van het babyhoofdje en haar kleine, stompe handjes. Maar met het kind erbij was er iets tussen hen veranderd.

Onoplosbaar, dacht hij. Opeens had hij spijt dat hij geen tekenspullen had meegenomen. Daarna weer blij dat hij het niet had gedaan. Edgar kreeg niet vaak de kans om de luxe van het nietsdoen te genieten. Hij was ook tegen nietsdoen, hield er niet van, maar het was wel eens goed voor hem om te stoppen met de dagelijkse rompslomp en gewoon te kijken naar wat hij voor zijn neus had. De lucht was van een intens helder blauw dat blauw op het water glinsterde. Edgar keek naar de lijn die de schaduw van de rotswand maakte in het zonlicht op het water, naar hoe de rots zwart, donkerbruin en grijs weerspiegelde naast het hemelblauw. Stroomafwaarts liep de rivier uit in een breder dal met een oude hofstede, waarvan het houten huis en de schuren sinds lang verlaten en vervallen waren. In de naburige bocht stonden de verwilderde restanten van een boomgaard, met halfdode, verwaarloosde bomen, maar de takken hingen nog zwaar met appels. Edgar vroeg zich af of de appels nog te eten waren. Hij was half verliefd op zulke oude bomen, op hun volharding.

Straks zou hij naar de boomgaard gaan om zo'n appel te plukken. Zodra hij deze sigaret had opgerookt.

Hij ging op zijn rug in het groene zachte gras liggen en keek omhoog naar de lucht, het intense heldere blauw. Die kleur was zo licht, bijna verbleekt, maar toch sterk. Dingen die hij niet begreep van licht.

Die onverwachte loze tijd. Het was alsof je met je voet in het donker stapte en daar geen trap voelde, het tastbare gemis van aanwezigheid.

Ze kwam door het zonlicht en het hoge gras aanlopen, in een doorschijnende wolk van stuifmeel, lang en snel, met zekere stappen. Een witte rok zwaaide om haar lange benen. Waarom kende hij haar? Donker, naar achteren gebonden haar. Het was alsof hij haar al die tijd had verwacht, alsof dit was waarop hij had gehoopt zonder het te weten. Ze kwam dichterbij en bleef een halve meter voor hem staan, keek hem ernstig aan. Hij voelde – wat? Opwinding. Angst.

Ik zag je pick-up, zei Layla.

Wat moest je hier doen?

Ik was rusteloos, ik wilde gewoon een eindje rijden.

Wel een heel eind.

Ik was ook erg rusteloos.

Ze keerde hem haar rug toe en ging naar de rand van het water, een metertje verder. Ze droeg een groene blouse zonder mouwen en hij bewonderde haar lengte, de tint van haar huid, de donshaartjes op haar armen die in het zonlicht glansden. Haar voeten in sandalen waren slank en mooi op de rivierstenen.

Ze stijgen daar als gekken, zei ze. Waarom vis je niet?

Hij hield zijn gipsen arm omhoog, verpakt in een plastic volkorenbroodzak.

Heb ik geprobeerd, zei hij.

Ze bevonden zich diep in het natuurgebied, zestig kilometer beide kanten op naar een benzinepomp. Ze waren bijna alleen, afgezien van de paar andere auto's en pick-ups op de parkeerstroken langs de weg, en dat waren vissers die ook alleen wilden zijn, alleen met het water. Voorbij de oude boomgaard werd de vallei breder en hij kon de heuvel erboven zien, waar het groene bos overging in rotsen en daarna in lucht. Er leefden dikhoornschapen op die rotsen. Het had iets verhelderends en zuivers: de lucht die je blik omhoog trok, je uit jezelf tilde.

Toen hij weer omlaag keek, was ze er nog.

Ik kreeg ze wel aan de haak, zei hij. Ik kreeg ze alleen niet aan land.

Ik ben hier niet meer geweest sinds het voorjaar, zei ze. Ik weet niet waarom. Het is zo'n mooie plek.

Ik ook niet. Nu is het bijna seizoenssluiting.

Ik ga morgen terug naar Seattle.

Opeens zoenden ze. En na wat komisch gehannes met broeken en vistuig, lagen ze naakt in het hoge groene gras terwijl de laatste zon van het jaar op hen neerviel, haar aanraking, haar lengte, de onvermijdelijkheid. Het stond ergens zo geschreven, was Edgars gevoel. Het stond altijd al te gebeuren. En nu gebeurde het.

*

*Je bent akelig* vroeg vanochtend, zei Betsy. Ik wist niet dat je zo'n vroege vogel was.

RL keek naar de wandklok in de ziekenkamer. Het was halfzeven 's avonds.

Ik moet het mijn moeder vertellen, zei ze.

Het kwam door haar ogen, dacht hij. Als haar ogen helder en bij stonden, leek het alsof ze bewust met jou in de kamer was. Maar deed ze haar mond open, dan was er geen peil op te trekken wat eruit zou komen. Haar moeder was al dood sinds haar afstuderen.

Dan sloeg de pijn weer toe en trok ze zich in zichzelf terug. Misschien was het niet de pijn, misschien was het verwarring, ziekte, zoiets. Haar ogen werden uitdrukkingsloos maar bleven open en haar lippen gingen ietsje van elkaar en dan ademde ze zwaar door haar mond, alsof ze een heuvel beklom, en brak er koud zweet uit op haar voorhoofd en wangen. Haar huid werd rood en grijs op die momenten van pijn, en soms zag hij angst in haar ogen. As en rozen, een dierlijke vlucht. Ik zou dit een hond niet laten ondergaan, dacht hij. Ik zou een hond uit zijn lijden helpen, voor ik hem dit liet ondergaan.

Dan sliep ze weer, of iets wat erop leek. Was in ieder geval weg, het licht uit haar ogen en haar ogen halfdicht. Griezelig gezicht. Hij zag alleen maar het oogwit. De kamer was schemerig, ergens in het raamloze inwendige van het ziekenhuis, en de lichtjes van allerlei instrumenten, pompen en meetapparaten pinkelden als een stad op een heuvel in de verte. De zuurstof ademde met haar mee en de medicijnpomp ratelde, klikte en draaide. Misschien zou ze weer bijkomen, maar waarschijnlijk niet zo snel, zo was het tenminste de afgelopen keren gegaan.

Op het randje van orgaanfalen, had de oncoloog gezegd. Er waren andere eventualiteiten. Een ordinaire infectie, een griepje kon haar fataal worden.

RL wist niet wat hij daar deed. Het zou voor Betsy niets uitmaken – ze wist niet op welke planeet ze zat. Bovendien had ze nog een man. Dat maakte soms dat hij dit absoluut niet zijn taak vond, niet zijn plaats, niet zíjn kruis om te dragen. Maar als hij dan thuis zat en zij hier was, voelde hij het voortdurend trekken. Ze zou dit niet alleen mogen ondergaan.

RL zat op een pastelkleurige stoel naast het bed, met een stapel tijdschriften naast zich: *Reizen en Vrije Tijd*, *Veld & Stroom*, *Moderne Volwassenheid*, het uitschot van de wachtkamerstapel. Hij had alles al twee keer gelezen. Misschien, dacht hij, misschien wás het zo simpel: hij zou zelf niet willen dit in zijn eentje te moeten doormaken. Iedereen gaat alleen dood, dat zei iedereen, maar wat was dat nou? Een of andere tekst van een rocksong. Iedereen rookt in de hel. Nou en? Onder de levenden houden we van gezelschap. Hij maakte zich graag wijs dat ze het wist, maar zelfs als dat niet zo was, hoorde je dit te doen. Kwam bij dat Layla weer naar Seattle was en zonder haar was RL's huis leeg en unheimisch. Zo was het altijd wanneer ze wegging.

Ann, kindje, zei Betsy. Wat ben je aan het doen, schat?

Haar dochter, elf jaar oud. RL had haar nog nooit gezien. Betsy liet zich in het kussen terugzakken. RL voelde even dat er tranen dreigden, sentimenteel...

Ze had haar redenen dat ze hen niet wilde laten komen, Betsy. Er was een minieme kans – 7 procent, zei de ene dokter, 12 procent zei een andere – dat ze het zou halen, en ze wilde niet dat haar kinderen haar in deze uiterste fase zagen. Dat deel was waar; ze zag eruit als de duivelin in een Japanse film, gekomen om de zeelieden naar de hel te lokken. Zelfs haar traanbuisjes zagen er rood en ruw uit. Haar haar klitte en ze stonk naar haar eigen braaksel. Hij zou ook niet willen dat Layla hem zo zag.

En toch... Hij dacht niet dat Layla zou wegblijven. Ze zou zich niets aantrekken van wat hij wilde. Ze zou toch komen. Dat was het onbegrijpelijke: waar was Roy, haar man? Zorgt voor de kinderen, was de officiële verklaring. Voert de kippen, de kinderen, de duizend-en-één karweitjes op zo'n afgelegen stek. RL geloofde het niet, maar hij wist niet wat hij anders moest geloven. Ze hadden een hang naar praktisch en streng, Betsy en Roy. Het waren ruwe lui, plattelandshippies. Ze dachten in goed of fout en als dit goed was, zouden ze een manier vinden om goed te handelen, want zulke mensen waren het.

*Pizza*, zei de dame met het krokodillenleren tasje.

RL ging de gang op. Wayne, de verpleeghulp, stond een mop te vertellen bij de hoofdpost in de gang. De nieuwe zaalverpleegster, die RL nog niet bij naam kende, staarde hem met hondse aandacht aan, in afwachting van de clou. Een lege brancard, met gerimpelde lakens en een kussen met een kuiltje van een mensenhoofd erin, stond voor een van de kamers te wachten, een nieuw spoedgeval. Ze leefden hier dagelijks met spoedgevallen, met dood, amputatie, stankgeur en huilende echtgenotes; en RL gunde hun hun grappen en fleurige uniformen, de verse bloemen op de balie van de verpleegsterspost. Maar hij kon die kleine vertroostingen niet met hen delen.

Vervagend daglicht van buiten vulde de gang. Een verrassende gewaarwording voor RL. Binnen, in de kamers waar al het vuile werk plaatsvond, was het altijd nacht. Waar was Roy? Deze najaarsschemering, eenzame tijd. De enige tijd dat hij de stad miste, mannen in zwarte colberts, opgemaakte vrouwen in jurken, die zich haastten om elkaar bij het sluiten van de dag te ontmoeten. Al die andere mensen die hij had kunnen zijn. Al die honderden deuren die een voor een dicht gingen, tot er nog één deur over was, de laatste. Een vriendelijke barman, een koele dronk, een ontmoeting, een vrouw. Ik ben eenzaam, dacht RL. Ik ben eenzaam. Ik ben eenzaam geboren. Ik ben zo op mijn best.

*

*Wat June kwaad maakte* waren de mensen die over de velden achter haar huis naar de rivier liepen en nooit de hekken achter zich sloten, zodat de koeien van de buurman uiteindelijk allemaal op haar weiland terechtkwamen. En diezelfde mensen, als ze de laatste paar tomaten uit haar tuin pikten wanneer ze naar haar werk was. En Howard, die nooit zijn mobieltje opnam, terwijl ze zeker wist dat hij aan zijn nummermelding zag dat zij het was, en June was toch geen tijdverspiller? Nee. Direct en ter zake. Ze zou niet bellen als ze hem niet nodig moest spreken.

Mensen achter wie ze vast kwam te staan, wanneer ze op Reserve Street links af probeerden te slaan, wat onmogelijk was en een eeuwigheid duurde, zulke mensen maakten haar razend.

Cheques van buiten de staat, bijstandsuitkeringen, Argentijnse banken – je wist nooit wat voor ellende ze in een rij voor een loket kon veroorzaken, alleen maar doordat zij erin stond. Vrouwen die toekeken hoe de cassière voor $105 aan boodschappen aansloeg en pas als het laatste artikel was ingetikt in hun bodemloze handtassen naar hun chequeboekje begonnen te zoeken. Het-

zelfde soort vrouwen in de rij voor het drive-in banklo-
ket, die hun eindeloze stortingsbewijzen invulden en
niet konden optellen.

Waar June helemaal van over de rooie ging was de hospice, omdat ze de hulpen en conciërges nooit genoeg be-
taalden om van te leven, zodat er altijd nieuwelingen waren, altijd verse trieste verhalen. De afgelopen maand
was het een kerel die Mad Dog heette, tenminste, dat was
de naam die hij voor ieder zichtbaar in zijn nek had la
ten tatoeëren. Mad Dog was een opgewekte, misschien
wel te opgewekte conciërge en een troost voor de stervenden, maar op een keer ging hij in het weekend uit en
kwam 's maandags terug met al zijn tanden uit zijn
mond geslagen. Een paar dagen later kwam hij gewoon
niet meer opdagen. Werkelijk, June had geen behoefte
aan dat soort energie in haar leven. Ze had maar net genoeg om zich om haar eigen mensen te bekommeren. En
dan ook nog, uiteraard, de buitenlandse politiek, de hele
Irak-rotzooi, het ruziezoeken met Iran.

Die hele oliekwestie maakte haar zo woedend, dat ze op
een zaterdag de deur uit ging en haar kleine pick-up in-
ruilde voor een Prius. Nu stonk de Prius naar paarden-
mest omdat ze niet wist hoe ze die anders naar haar tuin
moest krijgen. En ze werd aangezien voor een vegetari-
sche hippie-Birkenstocker. Oké, ze had Birkenstock-
klompen. Waarom moesten mensen haar daarop beoor-
delen? Het ergerde haar, die constante haast om te oordelen.

Begin ook niet met June over de bisschoppen, degenen
die al die jaren hun ogen dicht hielden terwijl de pries-

ters kleine jongetjes molesteerden, de klootzakken in hun brokaten gewaden die het in de doofpot probeerden te stoppen en nu ging al het geld naar advocaten in plaats van naar de armen.

De republikeinen. Allemaal, zelfs de aardige.

De antiabortusdemonstranten die voor de Blue Mountainkliniek posten met hun foto's van foetussen.

De levenden. Ze kon de levenden niet meer uitstaan. Zo koppig, vastgeroest, blind voor mogelijkheden. De stervenden, daar hield ze van. Een oude cowboy uit Arlee, na zeventig jaar spugen, van paarden vallen en in pick-ups rijden, ligt hij nu hier tussen de schone lakens te praten over zijn gevoelens, te luisteren naar Arvo Pärt, muziek die als engelen klinkt, met tranen over zijn wangen, wangen die door zeventig jaar wind en regen zijn verweerd tot de kleur van hout. De kwetsbaarheid, de mogelijkheid, de ontboezemingen. Daar hield June van. Het was alsof iets pas kon veranderen als het te laat was, maar op het laatste moment was alles weer mogelijk. Ze voelde hoe ze over de schutting keken naar wat er hierna zou komen en als ze zagen dat het weinig voorstelde, dat het er niet zo toe deed, dan konden ze gewoon loslaten en liefhebben.

Maar de levenden. June kon de levenden gewoon niet meer uitstaan.

*

*O, dacht ze.* Oké, het schip...

Ze werd wakker – halfvijf op de wekker – ingesponnen door dromen. Het schip stond op het punt van vertrek en ze zouden allemaal achterblijven als ze niet RL, June, Daniel en haar oude hond Martha op tijd de loopplank op kreeg, maar steeds was een van hen verdwenen en de anderen bleven niet staan als zij op zoek ging naar de wegloper. *Martha, mijn schatje,* dacht ze, bijna huilend. Een oude Australische herdershond, kreupel maar kranig. Knappe meid, noemde Layla haar altijd. Mijn knappe meidje.

Layla zat voor het raam naar de slapende straat te kijken, toen Daniel in short en T-shirt naar haar toekwam.

Wat is er?

Niks.

Kom naar bed.

Zo.

Wat heb je?

Niks.

Wat bedoel je met niks?

Wat ik zeg, zei ze. Niks. Niks aan de hand. Alles is prima.

Kom dan naar bed.

Zo, zei ze. Echt, er is niks met me. Ik kom zo.

Hij legde zijn hand op haar schouder, maar aarzelend. Hij wist niet of hij er goed aan deed of niet. Vrouwen waren een raadsel voor hem: dat hadden ze wel laten merken. Daniel was maar een willig slachtoffertje, geteisterd door oestrogeen en parfum. Layla wilde dat hij gewoon zei wat hij wilde. Maar dat deed hij niet.

Na een tijdje trok hij zijn hand terug, daarna zichzelf, ging zonder één woord weer naar de slaapkamer.

Buiten droop het gevallen regenwater van de apenbomen in het park aan de overkant. Zeewind liet de schaduwen van de straatlantaarns zwiepen. Halfvier in de ochtend, verlaten trottoirs. Alleen al van het kijken naar de lege straat kreeg ze het koud. Ze had niet meer aan dan een van zijn flanellen boxershorts en een T-shirt met *Spoetnik* in Russische letters op de voorkant. En een paar wollen sokken. Ze had even eerder gehuild en haar neus was rood en haar ogen waren roze als konijnenogen. Layla liep naar de thermostaat en draaide hem op 23 graden, vanaf de 17 waarop Daniel hem had gezet. Zijn ouders hadden dit appartement tegenover Volunteer Park voor hem gekocht en hij kon de paar centen die nodig waren om dit huis op menselijke temperatuur te brengen best betalen. Bovendien zou hij zich eraan ergeren, en dat vond Layla prima.

Maar *waarom.*

Waarom sliep je met iemand die je niet eens aardig vond? Zijn sperma sijpelde nog uit haar. Kijkend naar het verlaten trottoir voelde ze allerlei countrysongs bij zich opkomen, allemaal over eenzaamheid. Allemaal door elkaar. Ze wilde Daniel, maar de manier waarop hij iets deed kon ze niet uitstaan, waardoor ze zich afvroeg of ze werkelijk deze jongen wilde, of een of ander beeld dat ze in haar hoofd had. Zijn lach. Een dag aan de oceaan, zijn glanzende haar in de zeewind. Het was alsof ze hem uit een postordergids had besteld en er nu achter kwam dat hij niet helemaal was wat ze had gewild.

Zakkenwasser lul klootviool stommeling. Zijn pik in de mond van een ander.

Buiten liep een stel naar huis langs de rand van het park, een punky duo in geruite jacks en zwarte spijkerbroeken, zwalkend dronken, botsende schouders, lachend. Ze wisten niet dat Layla uit haar donkere raam keek. Alles nat, droop, ook al was de regen opgehouden. Bij de ijzeren omheining bleef de jongen staan, leunde tegen het hek en keek naar de lucht. Het meisje drukte zich tegen hem aan, heup op heup. Ze waren dronken, dat kon ze vanuit het raam zien, zijn bleke hand op haar borst; ze zei iets dat hem aan het lachen maakte en hij trok haar dicht tegen zich aan, tegen het druipnatte hek.

Plotseling brandde Layla van verlangen, het gonsde als een insectenzwerm rond haar ogen en oren en mond, de herinnering aan hem in het gras, de mooiste vergissing, de mooiste vergissing... Het duizelde Layla, de gedachte aan hem, zijn fijne handen. En het was helemaal fout, een grote vergissing, ze wist het. Ze moest niet willen wat ze niet kon krijgen. Dit kon nooit goed aflopen, niet met Daniel, niet met Edgar. Ze zou alleen overblijven, zonder liefde. Het deed er niet toe. Wat mankeerde haar? Die leegte vanbinnen, de plek die door geen van hen in haar gevuld zou worden. Meer en meer en meer en meer en altijd bleef ze zitten met minder. Ik wil, dacht ze, terwijl ze naar het dronken stel beneden keek. Ik wil wat jullie hebben en ik wil meer. Ik wil het allemaal. Ik wil meer dan er is.

Kom naar bed, zei Daniel. Hij stond daar op kousenvoeten, als een man uit een cartoon.

Hij zei: Het is laat. Kom naar bed, dan praten we morgenochtend.

*Lazer op*, dacht ze, en had het bijna gezegd.

Lag daar wakker met Daniel ademend naast haar. Gehoorzaam, dacht ze. Als een getrouwd vrouwtje. Misschien heeft ze nog wat geslapen, dieper in de nacht, en als dat zo was, dan gold haar laatste vervliegende gedachte de onafzienbare horde sterren boven hen, de melkweg die zich als een rivier van licht uitstrekte, en de wolken, gebouwen en muren tussen de sterren en het bed waarin ze de slaap probeerde te vatten. Een bewoonster van de melkweg, dacht ze. Dat ben ik.

*

*De eerste drie dagen* na de chemo bracht Betsy voornamelijk slapend door in RL's logeerkamer. Hij bracht haar thee en mandarijnen en soep, en zorgde voor verse bloemen op de kamer, hield de gordijnen de hele dag open om het laatste sterke licht van de herfst te vangen. Hij kocht voor haar een klein televisietoestel om haar gezelschap te houden en hoorde soms 's nachts om drie, vier uur, wat er op die tijd ook werd uitgezonden. Ze had niet echt veel te zeggen. Ze leek in de war, gewond aan de hersens. Ze zag er oneindig veel ouder uit dan vierenveertig.

De vierde dag was het tijd voor haar om naar de vallei terug te gaan. Hij stapelde haar tassen en manden op het bankje achter de voorbank van zijn pick-up en ging naar binnen om Betsy te halen. Een vochtige, winderige dag met hoge luchten en woestigheid in de rafelige wolken. In zijn jonge jaren droomde RL op zulke dagen dat hij een indiaan was, een Lakota, die een lange, koude winter voor zich zag. Dan stelde hij zich voor dat hij daar mans genoeg voor zou zijn, wat hij nu niet meer deed. Hij zou doodgaan van de kou. Aan de andere kant zou hij, in de oude tijd van de Lakota, allang dood zijn geweest, dus misschien was het niet zo belangrijk.

Op zulke dagen miste hij zijn vader.

Betsy zag er alleen maar moe uit. Verder leek ze weer aardig de oude. Ze bleef de hele stad door zwijgen, ook op de grote weg, maar toen ze de Blackfoot overstaken, toen ze de stad achter zich hadden, leek ze bij te trekken en op te vrolijken.

Heb jij ooit gedacht dat ik slechtruikend was? vroeg ze.

Dat je niet zo goed kon ruiken als anderen, bedoel je? Nooit één moment bij me opgekomen. Dus nee, denk ik.

Ik ook niet, zei Betsy. Maar sinds deze hele toestand is begonnen, kan ik ruiken als een bloedhond of zoiets. De kleinste kleinigheden. Het is eerder een vloek dan een zegen.

Kan ik me indenken, zei RL. Zeker in deze auto.

Dat wou ik helemaal niet zeggen, zei ze. Ha! Het valt trouwens best mee. Maar weet je, het is echt heel raar, ieders parfum en deodorant. En ik ruik een roker op een kilometer afstand. Dus ik vraag me nu af wat me verder allemaal is ontgaan. Denk jij daar wel eens over na?

Waarover?

Hoeveel van je brein je gewoon uitschakelt, zei ze. Te veel informatie, denk ik. Te moeilijk om ergens uit wijs te worden als je over alles moet nadenken.

RL reed een tijdje, nadenkend. Betsy had iets van een

mafkees, zoals ze vanuit het niets met van die rare gesprekken begon. Hij dacht aan ruiken, wat hij zich niet kon heugen ooit eerder te hebben gedaan. Had hij daar een mening of idee over? Natuurlijk had ze geen mafkezengedaante of mafkezengeur, maar er was wel iets met haar.

Soms denk ik, zei hij, dat wat we instinct noemen gewoon dat reukzintuig is. Niet wat je voor in je hersens hebt zitten, weet je, wat pepermunt of iets dergelijks ruikt, maar heel diep in de apenhersens, de reptielenhersens. Feromonen. Je komt iemand tegen en pats, je wordt verliefd.

Ik geloof niet dat ik ooit verliefd ben geweest, zei ze.

RL wist niet wat hij moest zeggen, dus reed hij maar, de heuvel van het Lubrechtbos op en over en omlaag naar het dal waarin de oude ranch van Lindbergh lag, nu een vakantieboerderij waar stadslui drieduizend dollar mochten neertellen om in een tent te slapen. Er was zoveel mis mee dat RL maar niet eens begon te tellen. Al verse witte sneeuw op de hoge pieken van de Bob Marshall, kilometers ver weg, en bij het zien ervan voelde RL zijn hart uit zijn borst vliegen, de bergen in, zijn geheime, ware thuis. Hij voelde de aanwezigheid van zijn schaduw, dat andere leven dat zo tegengesteld was aan wat hij leidde, fris en schoon en in de vrije natuur.

Toen ze de glasfiberstier bij Clearwater Junction passeerden en de weg naar haar huis insloegen, zei RL: Je hebt verschillende soorten liefde.

Jij houdt van je rivieren, zei ze.

Zeker.

Ik hou van mijn kinderen, zei ze. Dat hoef ik je niet te vertellen.

Nee, zeker niet.

Maar dat wat zomaar komt aanwaaien en je van de sokken blaast, zei ze. De wervelwind. Ik heb erover gelezen, maar ik weet niet eens of ik er wel in geloof.

Jij was vroeger voortdurend verliefd, zei RL. Destijds op de universiteit ging er denk ik geen week voorbij dat je het niet was.

Dat was geen echte liefde.

Je scheen te denken van wel. Toen.

Ik wist niks, zei ze bitter.

Ik dacht altijd dat het zoiets was als het koud of warm hebben, of hoogtevrees, zei RL. Als je dacht dat je het had, nou dan had je het al bijna. Het kan nu iets anders voor je betekenen.

Meneer de expert, zei Betsy, en dat snoerde hem de mond.

Ze reden zwijgend langs Placid Lake. Helemaal in het midden stond een kast van een huis, waar je alleen per boot heen kon. Een man – RL was zijn naam vergeten – had het gebouwd, was daarna failliet gegaan, zo wilde het verhaal, en had zich daar toen verhangen. Nu stond het eenzaam en spookachtig midden in het grijze meer. Dat was het punt, dacht RL. Als je je verdedigingswerk zo versterkt dat het iedereen buiten houdt, dan houdt het jou ook binnen.

Neem me niet kwalijk, zei ze na een paar kilometer.

Geeft niet.

Ja, geeft wel. Ik ben gemeen tegen mensen die aardig voor me zijn en aardig tegen mensen die gemeen tegen me zijn. Je had me moeten zien bij het oncologieteam. En die proberen mijn leven te redden!

RL keek op het klokje: halfvijf. Hij bracht haar terug naar haar man. Wilde hij niet. Hij zou haar missen, de stille middagen, thee en sinaasappels. Bovendien moest ze gered worden, van dat leven en van die dood. RL vond dat hij daar de aangewezen man voor was.

Wil je ergens wat drinken?

Ik mag niet drinken, zei ze.

Dat vroeg ik niet.

Ik zou een alcoholvrije cocktail kunnen nemen of zo. Als jij wilt stoppen.

We kunnen doorrijden als je wilt.

Nee, stop maar, zei ze.

Maar toen ze het parkeerterrein van de Dirty Shame opreden, was ze weer van gedachten veranderd. Ik ben moe, zei ze, en al die rook! Ze kon beter gewoon weer de heuvel op gaan.

RL zei: Prima! zo opgewekt mogelijk om zijn teleurstelling te verbergen. Hij dacht dat hij een tere snaar had aangeraakt. Wat ze wilde en wie ze was. Misschien was er iets diepers in de war geraakt in het ziekenhuis.

Misschien moet je stoppen om de transmissie om te zetten, zei ze, toen ze van de grote weg de bosweg opreden. Ik geloof dat het heeft geregend.

Van alle moderne gemakken voorzien, zei RL, terwijl hij de transmissie overzette in de hoge vier. Volledig automatisch.

Fijn, zei ze.

Maar ze keek of voelde niet fijn. Ze zag er afwezig, ziek en bang uit. Laat me je helpen, dacht RL. Laat me je alsjeblieft helpen. Ze staken een smal bruggetje over een beek over en draaiden van de grote steenslagweg een jeepspoor op dat afsloeg naar de wildernis. Elzentakken beschilderden de zijkanten van zijn truck met regenwater. Ze sloegen nog twee keer af, en telkens werd de weg slechter, het bandenspoor dieper en modderiger, de grasbult in het midden schuurde tegen de onderkant van de truck. Het was nauwelijks te geloven dat ze niet verdwaald waren, maar Betsy wist klaarblijkelijk waar ze was. Het was alsof de weg zich achter hen sloot, alsof de wildernis hen opslokte – een woest gebied dat van hier naar Augusta liep, door naar Canada, zo ver naar het noorden als er noorden was, overal druipend van regen en groen.

Misschien moet je hier gas geven, zei Betsy. Dit laatste stuk is nogal steil.

RL deed wat hem werd gezegd, schakelde terug naar z'n twee en liet de motor hoog gieren en hield dat vast terwijl de weg onder hen kronkelde en bokte, een hoge, steile helling met weggespoeld grind. Toen hij boven was en zich afvroeg hoe hij dat precies had gedaan, lachte Betsy naast hem op de bank beleefd om hem.

Godsklere, zei hij, deels omdat hij de rit had overleefd maar ook uit verbazing over de plek waar hij terecht was gekomen. Het was een open, bijna vlakke plek met modder en struikgewas, boven het bos en beneden de bergen. Vóór hem, aan de overzijde van een bebost dal, strekte zich wit en kartelig de Mission Range uit, terwijl zich achter hem de eerste toppen van de Swan Range verhieven, met daarachter de wildernis. Dit was geen land voor mensen, dacht hij. Dit was land voor rotsen, sneeuw, beren. Hij dacht aan hoe hij was leeggestroomd bij het zien van de bergen tijdens de rit omhoog en nu stond hij er middenin.

Het begon weer te regenen terwijl ze in de truck zaten, en houtrook zweefde over de open plek.

Aan de dichtstbijzijnde kant van de open plek stond een

garage of loods, zo te zien bijna afgebouwd, twee verdiepingen hoog. Op de veranda van de eerste verdieping stond een man uit de burgeroorlog, met grijze baard en paardenstaart, in een grijs wollen jak uitdrukkingsloos op hen neer te kijken. Dat was Roy. RL had hem voor het laatst gezien op hun huwelijk en toen zag hij er aanzienlijk anders uit. Aan het andere eind van de open plek lag een fundering voor een huis, overdekt met verschillende blauwe, grijze en groene plastic afdekzeilen. Het plastic was vuil en door bladeren besmeurd, op één hoek na, die dit jaar nieuw scheen te zijn.

Vanuit de deuropening van de garage gluurden de witte gezichten van haar kinderen.

Mijn god, zei Betsy, en ze begon te huilen, maar of het van vreugde of angst of plotseling verdriet was, kon RL niet zeggen. Haar mond was samengetrokken in een grimas van emotie.

Verspreid over de open plek stonden verschillende houtstapels en verschillende auto's, waaronder een overwoekerde International Travelall en een Dodge Dart combi zonder glas voor de lege oogkassen. Veel projecten waren half begonnen en blijven liggen: een houtklover, een ciderpers, een prieel. Hoe was het om haar te zijn? Hoe was het om dit je thuis te noemen? Zelfs als hij het lef had het te vragen, was haar toestand er niet naar om te antwoorden.

Roy verdween weer in het huis, kwam even later naar buiten door de ingang op de begane grond en liep naar de truck. Hij merkte niet dat het regende, tenminste, zo zag het eruit. Hij liep zonder haast, een beetje trekkend met zijn been, een of andere oude blessure.

Welkom thuis, zei hij.

Betsy hield meteen op met huilen en probeerde het te verbergen.

Hij zei: We hebben je gemist.

Ik heb jullie ook gemist.

Hoe is het met je?

Het kan beter, zei ze. Maar het gaat goed.

Je ziet er goed uit, zei Roy, en bukte zich voor het open raam om RL te zien. Bedankt dat je haar hebt gebracht, zei hij. Ik kon hier gewoon niet weg. De kinderen en dergelijke.

Geen punt, zei RL.

Maar ik waardeer het erg, zei Roy. Hij maakte het portier aan de buitenkant open en hield het vast om Betsy te laten uitstappen.

Ze keerde zich naar RL. Kom je niet binnen? vroeg ze. Kom een biertje of een kop koffie drinken.

Over haar schouder heen zag RL de flits van kwaadheid op Roys gezicht, niet meer dan ergernis eigenlijk, maar het ontstak in hem een net zo driftige vonk.

Goed, zei hij, ik blijf. Even de benen strekken voor de rit naar huis. Een beetje rondkijken. Ik ben hier nog nooit geweest.

Ga weg.

Nee, nooit.

We zitten hier al bijna twintig jaar, zei ze.

Ze stapte uit de truck de regen in en toen kwamen de kinderen aanhollen, en de uitdrukking op haar gezicht was iets wat RL niet kon aanzien, zoals ze hen stijf tegen zich aan drukte in de gietende regen. Het meisje was bijna zo groot als haar moeder, maar lang en mager, een en al elleboog en nek, en de jongen was een paar jaar jonger en veel kleiner met een ongevormd, wezenloos gezicht. Hij zag eruit alsof hij op het punt stond geboren te worden, maar nog niet helemaal af was.

Dit was te veel om aan te zien, die uitdrukking op Betsy's gezicht en de twee kinderen die aan haar hingen, en RL dwong zich om weg te kijken. Dwong zich toen om terug te kijken. Zij zag het ook, dat moment van herkenning. Je hebt wel lief, dacht hij. Ook jij.

Binnen was het eigenaardig donker, ondanks de grote ramen die enorme vergezichten boden op de Mission Range. Er was boven één grote kamer en RL wachtte tot zijn ogen konden zien in het halfdonker. Nu de kinderen Betsy bij zich hadden, wilden ze haar niet meer loslaten. Roy was in de loods beneden achtergebleven om het een of ander te doen, en toen RL de bovenverdieping kon zien, begreep hij waarom: het leek daarbinnen of studenten er een feest hadden gehouden, kleren en sporttruien, lege flessen en vuile borden. Hij zond toen een gedachte aan zijn dochter uit, aan Layla, ver weg, om te zeggen *Niets voor jou, dit niet, laat dit je bespaard blijven.* Hij zag niet alleen vuil en wanorde, maar ingedikte ellende, het antwoord op de vraag *Wat zou er gebeuren als ik me gewoon liet gaan*? Dit, dacht RL. Dan gebeurt er dit.

Het is goed met mamma, fluisterde Betsy. Het komt allemaal goed met mamma.

De kinderen klitten aan haar. Betsy was nu in haar ruimte, haar hoek van de keuken: een zachte ruimte. Overal stoffen en stukjes katoenpluis, zacht licht door het grote raam, een grote werktafel en een la vol scharen, naalden, strengen wol. Alles binnen bereik, alles onder controle. De stoel zelf was van eikenhout met geweven, Mexicaans aandoende kussens, hier en daar wit versleten en het hout gekrast en gevlekt. Alles binnen handbereik was glad gesleten door aanraking, en RL vroeg zich af of dat ook was gebeurd met haar zoon, dat halfgevormde, half affe uiterlijk... In het zachte licht van het raam zagen ze er allemaal mooi maar onwerkelijk uit, alsof het een idee van iemand, of een scène uit een film was. Betsy huilde maar probeerde te stoppen. Het meisje zag er boos uit. De jongen zag eruit als helemaal niets, als water.

Betsy zei: Er staat vast bier in de ijskast.

RL wilde weg. Deze hele onderneming – haar hier brengen, die hele tocht – was een vergissing. Overgelaten aan haar eigen leven. Maar iemand had haar hierheen moeten brengen: ze kon niet zelf rijden.

Dank je, zei hij, en maakte de ijskastdeur open: mosterd, bleekselderij, een paar halflege potten jam en een tweeliterpak melk waarvan RL zeker wist dat het leeg was. En bier, volop bier, minstens een half krat aan flesjes onderin. Milwaukee's Best. RL nam er toch een, maakte het open en nam de eerste smakeloze teug.

Wil jij iets?

Nee, nee, zei ze. Ik hoef niks.

RL liep naar het raam en keek uit over het overweldigende panorama, kilometers hemel en verblindend witte toppen. Dat was tenminste zijn bedoeling, maar waar hij naar keek was naar de verzameling vegen en vlekken aan de binnenkant van het raam, die hem herinnerde aan de onontkoombare groezeligheid van kinderen, de geheimzinnige gave die Layla altijd had gehad om zich in een schoon huis binnen de kortste keren vuil te maken, zonder iets bijzonders te doen. Hier zou het makkelijker gaan. Wanneer was het veranderd? Opnieuw dacht hij aan zijn dochter, ergens buiten op de toendra, alleen... Tegenwoordig was ze zo netjes als wat, drie dagen op de rivier en ze zag er nog fris en verzorgd uit. Hij voelde zich eenzaam zonder haar.

Toen hij zich van het raam afwendde, was Betsy gekalmeerd en duwde ze de kinderen naar hem toe. Dit is Adam, zei ze, en dit is Ann. Zeg Robert eens goeiedag.

De jongen mompelde een groet, maar het meisje sprak duidelijk, met haar lange hals en open, nieuwsgierige gezicht. Ze was nog geen schoonheid, maar het scheelde niet veel, nog een kind maar niet lang meer. Ze wist niet waar ze haar handen moest laten. Plotseling schoot er een naar voren en RL pakte hem en ze schudden elkaar op een vreemd formele, zakelijke manier de hand.

Bedankt dat u voor mijn moeder heeft gezorgd, zei ze.

Plotseling zag hij in het halflicht de gezichten van Ann en haar moeder naast elkaar, en hij zag haar lengte en haar fijne botten, haar lange zachte meisjeshaar en in hun tweeën zag hij Betsy zoals ze op haar negentiende was toen hij haar leerde kennen, op haar twintigste toen hij met haar sliep: lang, tenger, knap. Van Ann keek hij weer naar haar moeder, en zag – het was net een optische illusie, een soort truc – het meisjesgezicht en het vrouwengezicht ineen, Betsy op haar negentiende, het verwoestende werk van de tijd, een razende zandstorm die overtrekt en alles op zijn weg vernietigt. De gelaatstrekken vergrofd, daarna weggevaagd. De Sfinx. Het verdriet dat nu door hem heen joeg was niet alleen het gevoel van medelijden met zichzelf, met haar, met hen allemaal maar een zekerheid dat ze al die tijd bij RL had moeten blijven. Hij zou beter voor haar gezorgd hebben, zou een vader zijn geweest voor dit mooie meisje. Hij wist op het moment dat hij het dacht dat dit verkeerd was maar hij voelde het zo, onmiskenbaar.

Help me een handje, zei hij tegen het meisje. Laten we een beetje opruimen.

Dat hoef jij niet te doen, zei Betsy. Laat het, alsjeblieft.

Ze wilde het echt niet, ergens diep vanbinnen schaamde ze zich ervoor, en ze stond al genoeg bij hem in het krijt. Heel even overwoog hij het te laten, maar toen zag hij Anns gezicht, niet te ontcijferen, in zichzelf gekeerd, en wist dat hij het moest doen. Iemand moest voor hen zorgen.

Kom op, zei hij tegen Adam. Help even mee.

Maar de jongen wilde niet bij zijn moeders rokken weg. RL spendeerde er geen moeite meer aan, ging naar de gootsteen en zette de warmwaterkraan open. Hij had dit een hele tijd niet gedaan. Hij deed zijn eigen afwas met een machine, maar hier was geen machine. Ann ging stilletjes de kamer rond om vuile vaat te verzamelen en zette die op het vlekkerige, opbollende parketblad naast de gootsteen. Parket was een rampzalige keus voor een keukenblad. Dat had RL ze wel kunnen vertellen. Het zou nooit lang meegaan.

*

*Dronken ging June* naar huis na Red's, Charlie's, de Flame, de Turf, de I Don't Know, Luke's, de Stockman's en de Silver Dollar, die gesloten was en de Oxford die geen sterkedrank meer schonk en helemaal was overgegaan op poker en kalfshersentjes met hardgekookt ei.

Of halfdronken. June dacht dat ze zich nuchter had gedronken, wat haar volwassen ik niet voor mogelijk houdt, maar wat de June van die avond (twintig met een geloofwaardig persoonsbewijs) met eigen ogen had gezien. De donkere ochtend was trouwens koud genoeg om haar te ontnuchteren, ergens rond de min vijftien, met een gure, snijdende wind vanuit de canyon, een wind die haar halve gezicht gevoelloos maakte toen hij aanwakkerde.

Die avond – het had elke vrijdag kunnen zijn, nog op de universiteit, dronken en mooi, op zoek naar iets, maar zoekend in bars waar niets anders was dan meer van hetzelfde – als het niet die avond was geweest dan zou ze niet eens meer hebben geweten met wie ze was, een ris uitwisselbare gezichten. June trok op met de klompen-en-wollen-truienkliek, maar op vrijdagavond deed ze haar rode laarzen aan, die met de witte sterren en stiksels. Slimme meid die dom deed, misschien. Misschien was het niet zo erg. Wie was die meid?

Die avond ging ze met niemand naar huis, maar liep ze richting Rattlesnake met Coy, Tiffany en Blackmore, drie studenten Engels en een Nez Percé-indiaan (Blackmore) die ze daarna nooit meer heeft gezien. Die kleine maisonette, zo schoon en zo alleen. Foto van haar familie, prent van de zonnebloemen van Van Gogh en een theepot en een poes. Het was anders, toen; alleen, maar daar had ze geen moeite mee. Of toch?

Bij het oversteken van Pattee Street ter hoogte van het postkantoor, komt er vanuit het niets een snelle Mustang. Ze lopen met zijn vieren midden op straat te praten over Van Morrison, en de rode auto schiet zo rakelings voorbij dat ze er allemaal stil van zijn, bang, misschien vijftien centimeter van Coy af, die meedraait met de passerende Mustang en zijn vuist en vinger opsteekt en *Vuile hufter!* gilt.

De rode Mustang stopt met een zijdelingse schuiver en gillende, rokende banden. De stank van rubber in de koude wind. Ze staan daar stom als koeien.

Dan maakt de Mustang een staande start met een spin als in misdaadfilms op televisie en komt recht op hen af en zij is o wonder op de stoep met Blackmore en Tiff, maar het is of Coy op het zebrapad staat vastgenageld, terwijl de Mustang op hem af raast, sneller dan een van hen kan denken, en dan zweeft hij op een of andere manier op de motorkap en giert de motor hoger en sneller als hij langskomt met Coy erbovenop, die schreeuwt *Klootzak, klootzak, stoppen!*

Wat hij prompt doet, een meter of dertig verder de straat in, en Coy vliegt van de motorkap en rolt als een lappenpop om en om door het vuil en het vuile ijs van de straat. O god, o god, o god, roept Tiffany, en Blackmore begint te vloeken en rent de straat op naar waar de Mustang stilstaat. Van daar zou hij kunnen starten en Coy overrijden. June staat verstijfd op de stoep, niet eens koud. Achter haar op straat de harde lach van een meisje. Ergens het geluid van brekend glas.

Dan is de Mustang weg en knielt Blackmore bij Coy en staan zij en Tiffany er opeens bij en weten ze niet hoe hij eraan toe is. Klootzak, zegt Coy zachtjes, terwijl er bloed uit zijn neus komt. Niet veel bloed.

Stil blijven liggen, zegt Blackmore.

Dan begint June te rennen, terug naar Higgins Avenue.

Wat ga je doen? zegt Blackmore.

Politie zoeken, zegt ze. Als ik ze niet zie, bel ik ze.

Gauw, roept Tiff. Gauw!

Dat hoeft niemand haar te vertellen en er rijdt een politiewagen de Higgins op wanneer ze daar aankomt en ze gaat midden op zijn rijbaan staan en steekt haar armen wijd uit en gilt *Stop* en hij stopt. June rent naar zijn raampje en daar zit hij.

Daar zit Taylor, de man met wie ze zal trouwen.

Dit is zijn gezicht op zijn zevenentwintigste: rond, beetje zacht, en een snor die als een rups over zijn bovenlip kruipt, sporen van babyvet die ze aanvankelijk vertederend vindt, maar later zal ze hem op de huid zitten, hem naar de fitness slepen, karige maaltijden voor hem klaarmaken en hem vleien tot hij ongeveer de gebeeldhouwde cowboy wordt die ze wil dat hij is. Dit is hem, June weet het in een seconde, in een tiende seconde, in de tijd die nodig is om een gezicht te zien. Dit is het. Hij mag haar aanvankelijk niet, een dronken studente, maar wanneer hij begrijpt dat het *menens* is, is hij snel en doortastend. Godver, laten we gaan. Ze wijst en hij wacht niet op haar, scheurt weg over Broadway, met zijn lichten en sirene aan het hele blok rond. Twee minuten later ziet het daar zwart van de politie, gezichten badend in zwaailicht en Coy ligt nog op het wegdek, maar hij is bij – hij beweegt en praat. Zes, acht, tien politiewagens eromheen met knipperlichten en snerpende radio's. June doet haar verhaal tegen een geüniformeerde agent en tien minuten later nog eens tegen een agent in burger, en al die tijd kijkt ze uit naar hém, maar hij is steeds druk aan het praten met iemand of in de portofoon en als ze even later rondkijkt is hij net vertrokken…

Dit allemaal in een oogwenk, terwijl ze naast Howard ligt – hij slaapt, snurkt af en toe. Het is november. Het heeft de afgelopen avond en de hele dag ervoor hard gesneeuwd en nu is haar slaapkamer vol sneeuwig licht, maanlicht kaatst terug van de laaghangende wolken en de witte sneeuw, een gloed door de ramen. Ze moet over vijf uur op haar werk zijn, ze zou moeten slapen, ze sliep een minuut geleden maar werd toen wakker met dat ene woord *zwaailichten* in haar hoofd en het hele gebeuren in een flits. Het is niet de hele herinnering, enkel een herinneringsmoment, maar dan komt het gebeurde weer zo in haar geest tot leven dat ze de nachtlucht, de uitlaatgassen van al die politiewagens op haar tong proeft. Iets eindigt en eindigt nooit. Ergens in haar hoofd is het er nog allemaal, is de twintigjarige nooit verdwenen maar nog levend, hetzelfde jaar steeds weer en weer... Wie is ze? Al die ikken, die lappendeken van littekenweefsel en mooie momenten, seks en slapen en dat ene etentje dat ze hadden in dat restaurant aan zee in Californië, de verse doperwtjes geplukt uit de tuin, een minuutje gestoomd en opgediend met boter en zout, en verder niets.

Hoe kon het zover komen?

Voor het raam, buiten in het zachte licht van de sneeuw en het nevelig schijnsel van de maan gaan de herten naar de rivier om te drinken, klauwen ze door de sneeuwkorst om van het gras van vorig jaar te grazen, brandmager, traag in hun bewegingen, doods. Hoe was het om altijd in het heden te leven, of in het nooit?... Honden hadden een geheugen, daar was ze bijna zeker van. Honden droomden, dat wist ze. Maar het was niet dat soort half-hier, half-elders wat zij was, deels herinnering en deels verlangen en nooit helemaal *hier*, behalve wanneer ze sliep – en zelfs dan, het dromen...

Sneeuw op de grond en meer op komst. Een vreemde die naast haar slaapt. Ze voelde het aankomen.

Héél zijn, aanwezig zijn, te paard over de witte velden en

het valhout, in volle galop, snel, in geen andere tijd dan het nu, de grens tussen paard en berijder en draven volkomen wazig en niets buiten het moment, geen dromen geen herinneringen geen verlangen alleen de snelheid zelf en de vrouw die in de snelheid verdwijnt. Het paard zelf zijn. Niets zijn. Het moment zijn, het draven zelf en verder niets, zelfs geen spoor, als adem op een spiegel...

*

*Vijf graden boven nul* en huilende wind vanuit Wolf Creek blaast grillige corduroy ribbels over het grijze water, water dat grijze luchten en heuvels weerspiegelt, met hier en daar een eenzame ponderosa-den of jeneverbes, een stuk blauw dat sleetje rijdt over de einder, de ochtend die naar de middag afzakt, het tienminutenproject om een sigaar aangestoken te krijgen. Dit was leuk.

Dit was iets. Misschien alleen een poging om iemand iets te bewijzen, misschien zichzelf. Het gips was er nu af en dit was waar Edgar altijd al van hield, alleen met de rivier, proberen slimmer te zijn dan een dier wiens brein niet meer was dan een verbrede plek in zijn ruggengraat. Verraderlijk, stiekem en sluw opereren, al klonk dat allemaal erger dan het was. Meestal gooide hij ze terug. Vandaag had hij beloofd er een voor Amy mee te nemen. Dat was ook iets, dacht hij, terwijl hij naar de gloeipunt van zijn sigaar keek die door de wind scheef was gaan branden: de bloeddorst van vrouwen, hun drang om vlees voor zichzelf en hun kinderen te hebben. Layla was het enige meisje dat hij kende dat het vangen en teruggooien begreep, en dan nog leek ze dat met tegenzin te doen. Al die kleine meisjes met bloed aan hun lippen en vingers, het gaf hem een idee voor een tekening. Misschien een schilderij. Misschien een mooi groot schilderij dat niemand mooi zou vinden en niemand zou kopen, zoals altijd.

Nicotine en cynisme, onafscheidelijk duo... Hij trok weer aan de sigaar, maar die werd te heet en te scherp en brandde aan de zijkant. Doopte hem dik een halve minuut in het water en gooide hem op de oever, zo ver hij kon. Het was maar blad, vergif. Het zou vergaan.

Edgar richtte zijn aandacht weer op het water. Onder de windrimpeling vermoedde hij een zoom, een plek waar water samenkwam met trager water, waar een vis makkelijk in de stroming kon staan. Hij zou misschien dertig, veertig centimeter diep staan, of nog dieper of misschien ergens anders, of volkomen denkbeeldig zijn. Zijn geest voelde als een typemachine die de mogelijkheden aansloeg, iets werktuiglijks. Hier hield hij van. Hij moest zich er zelf aan herinneren.

Waar zou die denkbeeldige grote vis op jagen? Kon van alles zijn, het viel onmogelijk te zeggen. Een meivlieglarve in de late herfst. Een broodje kaas. Edgar kon zich moeilijk concentreren.

Huwelijk was iets waar hij niet aan wilde denken.

Een goudkopnimf op de top en een roze kreeftnimf aan de onderlijn. De wind probeerde zijn pet af te waaien. Het was niet zomaar fris, het was koud, de komende winter, of misschien de zojuist aangekomen winter. Het lange gras zwiepte in de bries. Hij bond een beetverklikker, roze en oranje als een clownspruik, en probeerde een worp met de wind in zijn rug. Hij voelde zijn achterwaartse worp misgaan toen die wind ving en zijn voorwaartse worp kwam volledig stuurloos langs zijn oor suizen en de hele bende, lijn, vliegen en pretpruik, landde op het water met de bevalligheid van een complete set loodgietersgereedschap. De denkbeeldige vis vertrok naar New Orleans.

Edgar overdacht de mogelijkheid dat zijn leven niet tragisch maar komisch was, dat hij maar een grappenmaker was die in alles miskleunde, een waarschuwing voor anderen. In zijn clownspak, zijn waadpak met laarzen, zijn vest met de vele zakjes en de dingetjes die eruit bungelden en zijn grappige vingerloze handschoenen...

De lijnen van haar gezicht. De lijn van haar kaak. Hij herinnerde zich hoe hij die volgde in het zachte licht van de winkel. Nu kon hij er kennelijk niet meer mee stoppen; inmiddels heeft hij zeker twintig kleine tekeningen van haar gezicht gemaakt, en ook een paar schilderijen. Over het algemeen waren ze gelijkend, al gingen er een paar over in geometrische kleurvlakken. Maar voornamelijk alleen haar gezicht toen ze hem over Rusland vertelde, over de belegering, over de kanibalenmarkten en zaagselbrood en de lijken die van oktober tot in mei bevroren op straat bleven liggen. Ook haar gezicht in rust en zelfs in blijdschap en spot toen een man uit New Jersey de regenachtige winkel binnenkwam om te vragen waar het goed vissen was. Haar stille blijdschap: een kop thee, regen tegen de ruit, het slissen van passerend verkeer, Edgars gezelschap. Ze kon hem gelukkig maken. Edgar wist het, tot aan zijn middel in de Missouri. Hij kon Layla ook gelukkig maken.

Dat wordt er bedoeld met man zijn, dacht hij: afzien, standvastig zijn, stoïcijns zijn tegenover geluk. Geen geluk, alleen mogelijkheid. Het kindje, de kleine Olive, een nieuw kindje op komst, dat was de echte vreugde – het was zo, hij praatte zichzelf niets aan. En als het al een beetje stroef, een beetje triest ging tussen hem en Amy, dan was dat maar zo. *Postpartum*, er was zelfs een naam voor. Hij praatte zichzelf niets aan. Olive, haar gezichtje dat hem toestraalde. Niks kunstmatigs, niks sentimenteels aan, mooi solide gevoel, als dat van een lang en goed gebruikte bijlsteel in je hand. En als hij niet precies wist hoe het zat met Amy, dan verging de wereld nog niet. Ze hadden tijd genoeg om alles op een rij te zetten. Ze zouden dit nieuwe kind krijgen en dan, wanneer alles een beetje tot rust gekomen was, konden ze misschien een leuk reisje maken. Amy's moeder kon op de kleintjes passen, dat had ze al vaak genoeg aangeboden.

Hij keek naar het water, vlak en grijs in het grijze licht. Het was winter, nog niet streng, maar toch al het vlakke licht en de koude wind. Ze zouden naar Mexico kunnen gaan, ergens aan zee, bier drinken en in de zon verbranden. Ze zouden samen kunnen zijn en gelukkig zijn. Hij en Amy, bedoelde hij. Edgar en zijn vrouw.

*

*Dorris MacKintyre* had vijftig jaar lang schapen gehouden in de buurt van Ovando. Hij had een blokhut met vijfenzeventighonderd acre gekocht voor een dollar per acre toen hij in de jaren dertig geld van zijn vader had geërfd, bergland en hoogvlakten met alsem, niet veel soeps. Later kwam de regering om de berghelft van hem terug te kopen en dat maakte nu deel uit van de Bob Marshall Wilderness. Als je naar Great Falls reed en je keek omhoog naar de bergen, dan was dat zijn land. Was dat vroeger zijn land.

Trouwde met een vrouwtje dat hij ontmoette in een nachtclub in Black Eagle, de 3 D Ballroom, waar ze vroeger negerorkestjes hadden. Goeie meid. Ze was gewoon met haar vriendinnen een avondje uit.

Kregen vier kinderen, allemaal meisjes. Telkens als hij weer een meisje kreeg, bouwde hij weer een kamer aan de hut, een voor het huwelijk en een voor elk van de meisjes, dus zo werd dat hutje bijna een soort boerenbuitenplaats. Had nooit geld. Rijk aan land, arm aan contanten. Niet dat het land ooit veel waard was, op vijftienhonderd meter hoogte zonder noemenswaardige bewatering. De helft van de tijd bevroren. Alleen al de meisjes naar school brengen was een avontuur. Ze met Trudy naar de kerk brengen. Er was een dienst in Ovando, maar die werd in de kroeg gehouden en daar was Trudy het niet mee eens, dus reden ze elke zondag naar Lincoln.

Een van de meisjes, Joy, die bleek een aangeboren hartkwaal te hebben. Geen mens had het ooit kunnen weten, het gebeurde zomaar op een dag op de speelplaats van school, en dat was dat. Trudy is er feitelijk nooit overheen gekomen. Nooit helemaal. Wie zou dat wel?

Nu ligt Dorris in een bed bij het raam in het huis van zijn dochter in Missoula, een ijzeren invalidenbed met een rugsteun die elektrisch omhoog en omlaag gaat. Zijn handen liggen op de witte beddensprei als stronkjes hout, bruin en verweerd, met bulten en levervlekken. Sinds zijn beroerte doen ze het niet meer zo goed. Er staat een tv bij zijn voeteneind, maar die is zelden aan. Dorris had nooit genoeg tijd gehad om aan die herrie te wennen. Hij wilde nog wel eens naar honkbal kijken, maar nu zijn de kampioenschappen voorbij en als er iets is waar hij niet tegen kan, dan is het wel football. Zijn kleindochter loopt in en uit na de middenschool en zij is wat hem nog in leven houdt. Dorris vindt het ongelooflijk dat zij en hij vlees en bloed zijn, de kleine Greta, een kwart Blackfoot indiaanse. Hij is zo verguld met haar. Hij kan er gewoon niet over uit, zij met haar zwarte haar en rode lippen en haar twintig oorringen. Wat ze allemaal mag van haar moeder! Die kleren! Soms moet Dorris wegkijken om de tietjes van zijn kleindochter maar niet te zien.

De meeste dagen is het vrij stil in de kamer. Lisa, zijn dochter is weg naar het notariskantoor waar ze werkt, Greta zit op school. Greta's vader schuift zand in Saoedie-Arabië. De grote wijde wereld is buiten druk in de weer. Lisa vindt dat hij de hele dag iemand in huis zou moeten hebben, maar dat wil Dorris niet. Hij houdt van die uren alleen, alleen met de eekhoorns. Hij kijkt naar ze als ze tegen de achtergrond van de grijze lucht over de telefoondraden lopen, elkaar de grote esdoorn achter het huis in en uit jagen. Alle tijd om naar eekhoorns te zitten kijken. Dorris haalt het voorjaar niet.

Hij vindt het best.

Vandaag of morgen, als iedereen op het werk is of op school of zich anderszins door de dag haast, als de brandweerauto's uitrukken om iemand te redden en de vrachtrijders verderop in de straat hun levensmiddelentrucks achteruitsteken naar het laadbordes van de Food Farm, zo'n dag waarop Greta maatschappijleer heeft en de studentjes in Bernice's koffiehuis zitten te praten over god mag weten wat – hoe dan ook, voor hen betekent het veel – en de timmerlieden in de halfbakken sneeuw spijkers in een dak hameren, als de verse broden uit de oven komen en bankiers aan het stelen slaan en gemeenteraadsleden hun smeergeld gaan innen: soms denkt hij dat het in de middag gaat gebeuren, maar hij is er vrij zeker van dat het in de ochtend zal zijn, net wanneer iedereen zijn tanden in de dag zet, zijn mouwen opstroopt en aan de slag gaat, dan laat Dorris zich gewoon in bed achterover zakken en is het afgelopen.

Hij voelt het al, als iets wat hij duizend keer eerder heeft gedaan. Een spijker inslaan of een paardenknoop leggen.

June, dat vrouwtje van de hospice had een bandje met engelenmuziek voor hem meegenomen en ze beweert dat het een en ander makkelijker maakt, maar Dorris betwijfelt het. Zal je net zien dat het averechts werkt. Zet-ie het bandje op, ziet-ie alles al voor zich en gaat op zijn rug in bed liggen. En dan is drie kwartier later het bandje afgelopen en ligt-ie daar nog met zijn duimen te draai en.

Dank je feestelijk. Hij doet het wel op zijn manier.

Waar Dorris tegenwoordig lol in heeft zijn de eekhoorns. Het bed staat in de kamer aan de kant van de achtersteeg, en daar is het rustig. Hij heeft ze zelfs namen gegeven, geen al te bijzondere. Die ene met zwarte vlekken rond zijn neus, die noemt Dorris bijvoorbeeld Blackie. Maar als je goed naar ze kijkt, zie je hoe bijzonder ze eigenlijk zijn en sta je telkens weer paf van die eekhoorns. Hoe ze met doodsverachting over de telefoondraad lopen. Die bliksemgevechten over de schuttingranden en hup de bomen in! Dorris zou niet weten of ze voor het echie vechten of alleen maar spelen. Blackie en Karen, Spot en Leroy en Ferdinand – Dorris noemt hem Ferdinand omdat hij de mannetjesputter is, die altijd achter de andere aanzit. Zwaar leven, denkt Dorris, om de eekhoornbullebak te zijn. Grotere ballen en meer noten dan alle andere eekhoorns. Dorris heeft een paar van zulke mensen gekend.

Soms wordt hij rusteloos en als dat gebeurt, maakt hij

zijn wapens schoon. Hij lacht soms om zichzelf als hij eraan denkt. Schoonste wapens van West-Montana. En wat moet hij er in godsnaam mee? Het enige waarop hij van hieruit zou kunnen schieten is op de eekhoorns en Dorris is niet van plan op eekhoorns te gaan jagen. Toch haalt hij de pompstokken en de wapenolie tevoorschijn en demonteert hij ze langzaam met bevende handen: zijn dienstrevolver, de 30.06 met de goede draagwijdte, het 45-70-bizongeweer dat hij van zijn vader had gekregen. Zelfs toen hij nog goed ter been was, stootte het ding hem bijna van de sokken als hij het afvuurde. Een beest van een geweer. Wie zou het ooit nog eens gebruiken? De meisjes waren uitgevlogen van hier tot San Diego, en de twee jongens onder de kleinkinderen waren stadse melkmuiltjes. Dorris was net zo gek op ze als op alle andere, maar toch had hij gewild dat ze anders waren, gewild dat ze belángstelling hadden. Hij had ze een paar jaar geleden, toen ze negen en tien waren, een keer meegenomen om zakratten af te schieten, op een hooiland bij de oude boerderij van Lindbergh, waar het van voor tot achter wemelde van hun holen en hij had ze elk een .22-geweer en een doos patronen gegeven en ze hadden er allebei al genoeg van voor de eerste doos leeg was. Een jongen die het niet leuk vond om zakratten af te schieten. Dorris wilde het niet eens begrijpen.

*

*Een flard vluchtig zonlicht* stoof over het bruine gras, een plotselinge uitbarsting, vrolijk en verblindend, bracht een opwelling van lente mee. Hij wist in zijn donkere binnenste dat ze het groene gras nog zou zien en de zon nog zou voelen, een kleine verborgen hoop in het donker van december. Het was maar een kleine kans, maar meer dan een kleine kans had ze niet nodig als het werkte. En als ze gelijk had – en RL vond haar geschift, maar dat wilde niet zeggen dat hij niet met haar mee kon denken –, als ze gelijk had en het allemaal om positieve mentale energie ging, dan zou zijn sprankje positieve energie misschien genoeg zijn om de hele zaak over de hobbel heen te helpen. Hij wilde dat ze bleef leven. Hij was verbaasd hoe graag.

Er was één plek waar het gras om een of andere reden nog groen was en toen het zonlicht die raakte, volgde een explosie van groen licht.

Hij rookte een kleine Zwitserse sigaar en wachtte tot ze bij de oncoloog vandaan kwam. Geleund tegen een bank stond hij naar een bevroren waterval te kijken, onder een groot bord VERBODEN TE ROKEN BINNEN 15 M. VAN DE BEBOUWING. Onzichtbare luidsprekers verstrooiden de lokale countryzender over de binnenplaats. RL was in principe voor countrymuziek, maar in de praktijk klonk het allemaal hetzelfde. Net als een groot deel van zijn leven: iets wat hij zou moeten willen, maar eigenlijk niet wilde.

Hij dacht aan meivliegen, dat sommige zelfs zonder mondje worden geboren. Ze leven hun dag in de zon en ze planten zich voort en vallen als spinners terug op het water. Niks treurigs aan.

*

*Layla schrikt wakker,* zit penrecht overeind om drie uur in de ochtend, omringd door dromen. Dit keer is het Junes bruiloft, lentezon en witte rozen, een middag op het groene, groene gras. Wie is die bruidegom? Layla ziet nooit helemaal zijn gezicht, hij keert zich altijd op het laatste moment af, altijd met zijn rug naar haar toe, hoewel ze nieuwsgierig genoeg is. Ze ziet zijn rug in smoking-zwart, gebogen naar een kring mannen, allemaal als kraaien in het zwart, en uit de kring stijgen gelach en rook op.

June ziet er helemaal uit als June, een witte trouwjapon met kant maar tegelijk ook zakelijk, met haar praktische korte haar en jurk op cocktaillengte, als Layla dat goed heeft, al denkt ze zelf van niet. June regelt Junes bruiloft, loopt overal te redderen en te schikken, zet haar vrienden op haar bekende manier aan het werk. Haar zoekende blik glijdt vlak langs Layla, maar schijnt haar nooit te zien, wat Layla een spookachtig, onzichtbaar en griezelig gevoel geeft. Toen ze klein was, fantaseerde Layla vaak hoe het zou zijn om de geest op je eigen begrafenis te zijn, te kijken naar alle mensen die je kende en alle mensen van wie je hield met hun zwarte kleren en tranen, die jou misten terwijl jij bij ze was maar hun dat niet kon laten weten, dat onzichtbare scherm tussen de ene wereld en de volgende... maar dit was een vrolijke gelegenheid, of zou het moeten zijn. Het vreemde aan de bruiloft is dat Layla niemand schijnt te kennen. De gasten komen haar allemaal wel bekend voor, een beetje informeel gekleed, een beetje zongebruind, blakend van gezondheid en buitenactiviteiten, met verhalen over kanjers van vissen en geheime buskruitbergplaatsen op afgelegen plekken – dat zijn de mensen die Layla kent, hun manier van doen en hun principes, hun gewoonten en gewichtigheden, maar hoewel ze die mensen in het algemeen goed kent, kent ze geen van hen in het bijzonder. June trouwt te midden van vreemden.

En Layla weet niet hoe ze contact met haar moet maken. Junes blik blijft zonder herkenning langs haar strijken. Layla is hier een vreemde en June trouwt te midden van vreemden, mensen die haar niet kennen en niet voor haar zullen zorgen zoals zou moeten. Zelfs nu, zelfs wakker, voelt Layla nog de triestigheid ervan: het tijdelijke huis verpulverd, verstrooid door de wind, en nu deze vriendloze plek. De gasten doen zich allemaal voor als Junes vrienden, maar het zijn Junes vrienden niet, alleen mensen die erop lijken. Mensen die op mij lijken, denkt Layla. Waar is mijn moeder? Ik wil mijn moeder.

In haar eigen kleine bed, terwijl buiten de regen door de bomen druppelt. Geen wonder dat ze somber is! Komt bij dat ze bijna zeker weet dat ze zwanger is. Haar menstruatie – normaal even stipt als de Old Faithful – is drieënhalve week over tijd, en ze heeft voortdurend trek in chocola. Ze wil weer slapen, teruggaan naar die bruiloft als het kan. Want hoe vreemd, hoe onaards ook, ze herinnert zich nog de zon op haar huid, ziet nog het zachte gras, de groene bladeren en witte wolkjes die in de blauwe lucht voorbij schuiven, een genoeglijke, warme plek, tafels overladen met lekker eten en koele witte wijn, het gelach en geroezemoes van vriendelijke gesprekken. Pas later, weer half in slaap, herinnert ze zich het bruin rond de steeltjes van de druiven, de blaadjes die al schrompelen, de vliegen – een voor een – verliefd op al die suiker en alle gemorste wijn. Ze konden niet wegblijven.

*

*Waar ze niet over spraken* was alles, kinderen, Roy, vuile borden en de aanstaande chemotherapie. Het had nu geen zin. Haar kleine ongelukkige gezicht in het kaarslicht. Halverwege de maaltijd was hij in staat achter het hele gedoe een punt te zetten, hij had het gehad, te veel gehad: hoe ze ook haar best deed, ze kon haar totale gebrek aan perspectief niet verhullen. Geen strohalmen om zich aan vast te klampen, geen parachute in het brandende vliegtuig. De paus, een hippie, en Henry Kissinger...

Wat?

Niets, zei RL. Hij was zich er niet van bewust dat hij iets hardop had gezegd. Misschien was dat ook niet zo. Een griezelige kant van Betsy.

Ik wil naar Hawaii, zei ze. Thailand, ergens waar het warm is.

Orlando, zei RL.

Orlando, ook prima, zei ze. Ik weet niet eens hoe ik erop kom. Het is net zoiets als plotseling trek krijgen in chocola of zo.

Of whisky.

Whisky, ook prima.

Misschien zit er vanavond niets anders voor je op, zei RL. Het zou de hele nacht sneeuwen. Die luchthaven is *dicht.*

Ik heb toch geen geld.

De ober kwam hun borden weghalen, dat van RL schoon en leeg – een lamsribstuk waaraan alleen hartige flinters en geen echt vlees had gezeten – en Betsy's bord waarop het eten was heen en weer geschoven en met lange tanden geproefd. Ze was er niet dol op. Of misschien stond het idee van eten haar gewoon tegen. Misschien leefde ze op een ander soort voeding, de zang van ongeziene engelen of de geheimzinnige straling van de zon. As, dacht RL. As en diamanten, diamanten en roest.

Edgar, mijn hulp, gaat na nieuwjaarsdag met een groep naar Bimini, zei hij. Je zou er bijna van uit je vel springen.

Waarom hij en jij niet?

O, zei RL. Hij had de klanten bij elkaar gescharreld. Ik denk niet eens dat hij ervoor betaald krijgt. Het is gewoon een gratis reisje naar Bimini.

Betsy keek op. Het was deels vanwege haar dat hij niet ging, ze wist het meteen toen ze hem aankeek.

Ach, en daar komt bij, zei hij: de eerste van het jaar. Belastingen en zo.

O, natúúrlijk, zei ze.

Oké, dus ze geloofde hem niet. Een plaagstootje. Ze kon nog lachen.

Wat? zei hij.

Jij bent nogal doorzichtig, zei ze. Je moet eens bij ons de geiten komen melken. Ik denk dat je geiten leuk zal vinden. Ze zijn een beetje onvoorspelbaar, altijd verrassend, net als katten en herten en dochters. Dit is niks voor mij.

Ze zwaait met haar arm het restaurant rond, naar de lampjes en de gemompelde gesprekken. Een tafel met dronken zakentypes – zonnebril aan touwtjes om hun nek – barst in lachen uit als iemand zijn mop uit heeft.

Je zal het wel een krankzinnig verhaal vinden, zegt Betsy.

Wat?

Iets, zei ze, een hond of misschien een coyote of zelfs een wolf – Roy dacht dat het een wolf kon zijn geweest – wat dan ook, iets is op een nacht toen we sliepen bij de geiten gekomen. We houden ze ingesloten, weet je. Het is alleen om ze bij elkaar te houden, er staat een kotje, maar gewoon afgerasterd met draadgaas, je houdt er niets mee buiten. We werden wakker en hoorden dat gegil, het klonk net als een krijsende baby. Herinner je je dat geluid?

Het ergste wat er bestaat.

Er is niks ergers, zei ze. Gaat je door merg en been... Wat het ook was, het was weg tegen de tijd dat Roy zijn geweer had gepakt en bij het kotje was, maar bok Henry lag dood op de grond en twee van de geiten stonden daar met opengereten halzen. Ik heb het gezien. Ik kwam vlak achter hem aan.

Het lijkt me vreselijk, zei RL. Nog een geluk dat het geen beer was.

Dat zei Roy ook.

Ze pakte haar glas rode wijn op en nam een slokje, dronk toen resoluter een lange teug.

Dit is niet het moment of de plaats voor zo'n verhaal, zei ze. Ik dacht dat het iets anders was toen ik begon.

Hoe liep het af?

Hij heeft ze afgeschoten, Robert. Terwijl ik daar stond te kijken. Hij zegt dat hij wel moest, ik weet het niet. Misschien had hij gelijk. Ik had niet eens de kans om afscheid van ze te nemen, ik moest naar huis terugrennen om te zorgen dat de kinderen het niet zagen.

Ze huilde, de tranen stonden in haar ogen.

Zie je nou? Het is stom, stom. Het waren maar geiten, maar beesten. Je koopt ze uit de krant voor dertig dollar.

Je hield van ze.

Ja, ik hield van ze.

Daar is niks stoms aan.

Misschien niet, zei ze. Maar uiteindelijk moest ik wel in therapie, ik kon het niet van me afzetten. Moest er altijd maar aan denken, hè? Anderhalf jaar lang vijfenzeventig dollar per uur en we waren niet eens verzekerd. Ik blijk een gecompliceerd mens te zijn.

Dat had ik je wel voor niks kunnen vertellen.

Dat zei iedereen.

Ze herstelde zich met stukjes tissuepapier en een ernstige uitdrukking, veegde het verdriet van haar gezicht.

Breek me de bek niet open, zei ze.

Hij zou haar hieruit kunnen bevrijden, dacht hij. Hij zou hen allebei kunnen bevrijden. De grote ontsnapping, uit de puinhoop van haar leven, de eindeloze eentonigheid van het zijne. Ze zouden geen eeuwigheid hebben, dat wist hij. Ze hadden misschien niet lang meer. Maar ze zouden geen eeuwigheid nodig hebben, hooguit een moment. Hij kon haar aanraken. Zij kon hem gelukkig maken. Het leek zo eenvoudig: hooguit een moment. Geen dode geiten en ex-vrouwen meer. Hij voelde zich deel van iets heiligs. Iets dat groter was dan hijzelf. Hij voelde zich heel plotseling licht, uit zijn lichaam opstijgen. Hij glimlachte naar haar, louter om het plezier van haar aanwezigheid, wat niet goed was.

Wat is er? vroeg Betsy.

Maar hij was nog te opgewonden om antwoord te geven, te verward en puur. Een geluk dat niet het zijne was en niet het hare, maar dat opkwam uit de lucht tussen hen in. De idee van haar. De mogelijkheid om te ontsnappen.

*

*Ontsnappen:* hij had niet geweten dat hij er behoefte aan had, niet tot op dat moment. Niet geweten dat hij het wilde. En plotseling was wegwezen alles voor hem, in elke wakkere gedachte en fantasie. Ze konden hier, in de wereld van het daglicht, niet bestaan. Ze konden niet samen zijn. Maar ergens onder de palmbomen, of in de Spaanse zon – hij verbond geluk altijd met daglicht, ergens waar het warm en vrolijk was en niet hier. Eten en wijn, lachen. Het werd winter. Maar misschien niet voor hen.

Een daad van geweld. De knoop doorhakken. Hij had het in zich. Zij ook?

Hij droomde van wel. Had het al eerder gedroomd, maar het begon nu pas waar te worden, iets wat in hem was gegroeid, daar in het donker, stond op het punt om open te barsten. Hij kende haar. Hij wist wat er zou komen.

*

*Middernacht, whiskey.* Ze zaten aan de keukentafel, geen van beiden sprak. RL dacht aan eerdere keren, en aan luchthavens.

Aan hoe je nooit wist dat het de laatste keer was tot het al was gebeurd, en dan was het te laat.

Aan hoe de lucht in luchthavens zelf uitgeput moest raken van al het komen en gaan, alle liefde en verlies, het vertrekken en begroeten, omhelzen, betraande kussen.

Hij mist zijn dochter, jazeker. Ergens een angstig voorgevoel. Of misschien de dood zelf die tegenover hem aan tafel van haar Bushmills zit te nippen en denkt aan wat ze ook mocht denken. Haar handen waren mager en ruw, skeletachtig zoals ze zich rond het ijskoude glas vouwden. Het overkwam iedereen, en was erger wanneer je zoveel had gewerkt als zij. Zijn eigen handen – RL bekeek ze in de lucht voor hem – waren eervol toegetakeld, vond hij. Werk, avontuur, verwondingen. Zijn knokkels waren gehavend als die van een bokser.

Het waren die kloterige trailers, dat was het. Telkens wanneer hij binnen drie meter van een trekhaak kwam.

Er was iets met de openbare ruimte, de verwachting. Iedereen kwam en ging, zei hallo en zei tot ziens tegen zijn dierbaren. De ruwe kantjes van elk individu werden afgeschuurd en het enige wat overbleef was de gladde onpersoonlijke omtrek van een gevoel. Al die emoties, en we hebben ze allemaal. Zoals weten wat je hoorde te doen. Dat wilde RL, hij wilde leeg raken, wilde televisiekijken en naar kalmerende muziek luisteren uit hoge, onzichtbare luidsprekers. Hij wist alleen niet wat hij hier zou moeten doen. Geef me een script, dacht hij, een lijn om over te lopen. Laat me niet improviseren.

Ze zei: Wanneer is alles zo akelig geworden?

Zoals wat?

Ik weet niet, zei ze, en nam een slokje whiskey – Bushmills puur, een glas water ernaast. Met de whiskey en de wijn had ze al meer op dan goed voor haar was. De volgende morgen zou om halfzes beginnen.

Dag, dag.

Ze zei: Ik voel me net als toen ik mijn bergtop op ging en alles oké was, weet je? Niet oké – het was afzien, maar we probeerden daar tenminste iets. Ik heb het gevoel dat mensen niets meer proberen – ze willen niet meer naar iets anders zoeken. Ze gaan gewoon in de rij staan, weet je? Nemen een baan, kijken televisie.

RL dacht aan die half afgebouwde benedenverdieping, de gezichten van haar kinderen, die vanuit de onverlichte garage de regen in tuurden.

Oké, zei ze, zijn gedachten lezend. Niemands leven is volmaakt.

Dat leek wel erg zacht uitgedrukt. Hij hield zijn kaken op elkaar.

Niet doen, zei ze.

Wat?
Niet over me oordelen.

Dat probeer ik.

Ja, ik weet het, zei ze. Doe ik ook, hè? – dat wil zeggen, ik probeer het. Maar ik doe het zelf, weet je. Oordelen, oordelen, oordelen. Daar ben ik goed in.

Het was vreemd haar zo raak over zichzelf te horen praten. Hij was gewend te horen dat ze het mis had, als ze hem uitgebreid vertelde hoe absoluut zus of zo ze was, terwijl dat in werkelijkheid helemaal niet klopte.

Ik heb mijn mond gehouden over je dikke pick-uptruck.

Da's waar.

Ondanks het feit dat hij – wat zal het zijn? – één op vijf loopt. Je gebruikt hem alleen voor jezelf. Eén persoon.

Nu verval je een beetje in je oude fout.

Laat me maar even, zei ze. Misschien heb ik er zin in. Misschien ziet het er voor mij allemaal een beetje stom uit.

Het voelt goed, hè, om af en toe eens lekker tekeer te gaan.

Mijn huis.

Het is verschrikkelijk groot voor maar één persoon. Wat kost dat niet aan verwarming?

We zijn hier met zijn tweeën, zei hij.

Nu.

Ik heb het alleen over nu.

Wat?

Bij wijze van antwoord stak hij zijn armen over de keukentafel uit en trok haar naar zich toe en zij kwam, eerst verbaasd, een ogenblik tegenzin, maar dan gewillig, op zijn schoot zitten en liet zich op de mond kussen. Liet zich niet. Gaf zich. Kuste hem en omarmde hem en RL voelde de keuken loskomen en wegdrijven, als een kleine boot op groot water.

Dit is geen goed idee, fluisterde ze in zijn hals.

Weet ik.

Ik heb kinderen.

Weet ik, weet ik, weet ik, zei hij.

*

*June was om een* of andere reden wakker, maar ze wist niet waarom. Kwart voor een in de ochtend op de wekker. Iets.

Ze had jaren alleen gewoond en was niet bang van de kleine geluiden van een nachtelijk huis, een oud huis als dit dat kraakte en kreunde in de wind en de kou en de zomerhitte. Dit was iets anders. Wat? Howard was in Portland, aan het drinken. June was alleen in haar huis en de wereld was ver weg en werd steeds kleiner.

Daar was het weer. Een geluid uit de keuken misschien.

Rosco die bloed kotste op de keukenvloer.

Ze was in één doorgaande run met de hond in haar armen de deur uit, van kleren naar autosleutels naar deken, een goede wollen deken die nu bedorven zou zijn door bloed en hondenpoep. Wild van pijn probeerde Rosco in haar hand te bijten. Ze legde hem op de achterbank en stopte de deken om zijn magere poten in.

Niet doodgaan, zei ze tegen hem.

Hij keek haar met grote droevige ogen aan. Hij zou blijven leven als ze erop stond. Voor hem hoefde het niet zo nodig. Een hondenleven.

Niet doen, zei ze.

Wat ze bedoelde was niet stoppen, niet stoppen, niet stoppen met ademen, maar hij was maar een hond, hij zou het niet begrijpen, en dus joeg ze haar oude Subaru met honderdtien door de bochten rond de begraafplaats en bad dat er geen ijs op de weg lag. Hoorde zichzelf *bidden.* Heel haar leven had ze de stervenden aangezet tot kalmte, had ze geprobeerd hun rust te geven, en nu het haar beurt was – niet eens een vader of een zus maar een *hond* – merkte ze dat de kalmte haar verlaten had en er een werktuiglijke paniek in haar uitbrak, schiet op! Langs het verlaten parkeerterrein van de Wal-Mart, het destructiebedrijf, het politiebureau en de sanitairhandel, langs alle vuil en lelijkheid, de tweedehands auto's die vast stonden in korsten zwarte sneeuw. Ik haal het niet, dacht ze. Trut die ik ben. Ze vroeg zich een ogenblik af of ze dit droomde.

Rosco beet haar weer toen ze hem in zijn deken van de achterbank van de auto haalde, ze bloedde dit keer, zodat zijn bloed en haar bloed samen de deken bevuilden. Stond smekend om haast op de nachtbel van de dierenkliniek te drukken. Een slaperige specialist liet haar binnen en nam de hond van haar over, met deken en al, naar de geheime kamers achter. June werd, bloedend op het zeil van de wachtkamer, alleen gelaten.

Er stond een pot koffie tussen de tijdschriften aan één

kant van de wachtkamer. Ze probeerde een bekertje, maar de koffie had de hele dag en avond op het verwarmingsplaatje gestaan en was bitter, zwart en te sterk. Ze spuugde haar slokje terug in de kartonnen beker en gooide die weg.

*Golf Compendium. Poezenwereld. Business-Week.*

Ze haalde haar mobieltje uit haar jaszak, staarde ernaar en vroeg zich af waarom er niemand was om te bellen. Niemand die de hond voldoende kende om het te willen weten. Ze dacht aan Layla, ergens in Seattle. Howard op zijn motelkamer, als hij rond deze tijd in de nacht al terug was in zijn motel. Zo eens in de twee maanden reed of vloog hij naar Portland, waar hij ooit had gewoond, en dronk zich daar een stuk in de kraag en bleef dan een weekend lang dronken. Verder dronk hij geen druppel, en hij reed niet wanneer hij daar was. Het deed allemaal zo rationeel aan dat June er naar van werd, maar ze hield haar mond erover. Het was in feite haar zaak niet.

Ik ben niet geschikt voor dit leven, dacht ze. Ze kon het, ze kon zich alleen redden, de handgranaatjes incasseren die het leven haar toewierp. Ze was een sterk mens. Maar het was niet het leven waarvoor ze geschapen was.

Ze toetste RL's nummer in en luisterde naar het onbeantwoorde bellen in de lege wachtkamer. Het eenzaamste geluid dat ze kende.

*

*RL stond in de deuropening* van de logeerkamer en keek naar het trage rijzen en trage dalen van haar slapende rug in het minieme licht van de maan. Slanke, witte, mooie schouders, de welving omlaag naar haar heup, het had een meisjeslijf kunnen zijn. Bederf en dood vanbinnen.

Hoorde zijn telefoon gaan in de keuken.

Vreemd, hoeveel van haar nog goed was gebleven, hoeveel er nog van het meisje over was. Ze kon onmiddellijk van wakende in slapende toestand overgaan, zonder moeite of getob, zoals Layla op een zomeravond hard kon rennen tot ze viel... Haar ademhaling was zacht en langzaam en ze bewoog met kleine onderwaterbewegingen. RL voelde iets groots en benauwends in zijn binnenste woelen. De kans was groot dat ze het niet zou halen. Dat ze niet zou blijven leven. En al dat ongeleefde leven, al die jaren dat ze vast had gezeten in het vagevuur met haar breinaalden en haar tuin, de gezichten van haar kinderen in de regen... Dat verlangen om ongedaan te maken, te ontwarren, terug te keren, opnieuw te beginnen. Die *vergeefsheid.*

Hij sloot de deur weer zo stil hij kon en ging terug naar zijn stoel in de woonkamer, naar zijn glaasje Johnnie Walker on the rocks, naar zijn lege nest. Hij miste zijn dochter, ja, verdomd.

De heidense kindertjes zaten voor de eeuwigheid in het vagevuur omdat ze zonder zonden waren maar niet waren gedoopt. Dat leek een argument tegen God. Als jongen had hij gehuild om die kinderen. Als jongen had hij helemaal nooit gehuild. Hoe lang was dat geleden? Moederloos, in de steek gelaten. Wie belde er? 2:13.

Hij zou haar redden. De alcohol, beneveling en halfslaap brachten zekerheid. Haar niet redden van het grote ding maar van de vergeefsheid. Hij voelde zich het duister in duiken, onder de oppervlakte, daar beneden waar Betsy was. Hij zou haar weer omhoog brengen naar het licht, al was het maar voor een ogenblik. Beneden, naar de stinkende zwartbruine kleverige plek waar zij was. Naar beneden en weer omhoog. Hij zou het doen. Absoluut. Levend en in de zon, ergens waar het warm was, waar plezier was, waar drank en ontspanning en water om in te zwemmen waren. Het was een harde tijd voor haar en RL was zelf een harde man en vond het leven voortdurend hard en dan even iets zachts, eventjes maar. Een kleine adempauze. Hij dronk zijn glas leeg en ging naar bed als een man met een missie.

*

*De veerboot in Anacortes* stak van wal, eerst langzaam, met een diepe dieselgrom en een hoop wit water dat kolkend tegen de stalen steigerpalen beukte. Regen, halfvier, de avondschemering zette al in. Groene, ruige boseilanden gleden hen voorbij, eerst langzaam, de mist en wolken in en uit. Elk verlicht gebouw herinnerde aan thuis, warm en geel.

Thuisloos, dacht Layla. Ze keerde zich naar Edgar.

Als wat ben ik daar? vroeg ze.

Als vriendin, denk ik, zei hij. Als model. Als topmodel.

Maar ze kennen jou toch? Die lui van de galerie?

Een vriend van mijn ouders, zei Edgar. Hij heeft me mijn eerste expositie gegeven.

Ik had niet mee moeten gaan, zei ze. Echt niet.

Ze keken een ogenblik zwijgend naar het water, keken hoe de stad kleiner werd, de eenzame afvaart. De lichten van de stad schenen al fel in de verlopende middag en alleen zij tweeën stonden buiten aan dek, in een koude, vochtige wind die alleen maar kouder werd naarmate de boot snelheid kreeg en het land verder achter zich liet. Eenmaal, andermaal, verkocht, dacht ze.

Ik wilde je zien, zei Edgar.

Ik heb het koud, zei ze. Laten we naar binnen gaan.

Het passagiersdek was warmer dan het buitendek, neonverlicht, met eilandhippies en zakentypes en vrouwen in polarfleece en gore-tex, allemaal even welvarend, niemand ziek of arm. Zelfs de tatoeages van de punkmeisjes zagen er duur, scherp en nieuw uit. Zo anders dan de tatoeages van kroegtijgers in Montana, de blauwe veeg waar ooit Charlene te lezen was... Het rook naar regenwater op linoleum, frituurvet, lagere school in de regen. Een kop hete chocola of een donut zou nu lekker zijn. Hier de muffe warmte, buiten de koude wind. Zalmen die ergens diep onder de veerboot zwommen, ze kon ze voelen. Het kind dat in haar zwom. Ze had het Edgar nog niet verteld. Ze wist niet zeker of ze dat wel zou doen.

Wil je iets drinken? vroeg hij. Ze hebben bier, denk ik.

Nee, dacht ze, maar ze zei ja. Ging op een bank bij het raam zitten en keek uit naar het donkerende water, zocht naar zeehondenkoppen, maar zag alleen meeuwen en verre tankers. Een wit zeil in de grijze middag, ver weg. Het was het tijdstip van de dag waarop ze in het raam zowel het water buiten kon zien als de weerspiegeling van het verlichte passagiersdek achter zich, en het was moeilijk te zeggen wat echt was. Biecht, dacht ze, boete. Haar moeder was in een van haar grillige buien van moederschap gestopt met drank- en drugsgebruik, op het roken van wiet na, en allerlei kerken gaan aflopen. Ze had zelfs een tijdje een baan gehad. Layla moet acht of negen zijn geweest. Ze bleef sommige weekends en later zelfs doordeweekse nachten bij Dawn in haar huisje aan de spoorlijn. Een leven van veel improviseren; een vaag besef dat ze geen van beiden wisten waar ze heen gingen, wat ze zouden doen, maakte het leven opwindend. Layla miste het wel eens, dat gevoel bij het opstaan dat ze nooit wist wat de dag haar brengen zou. De ene dag danste ze bij de soefi's, de volgende dag bad ze de rozenkrans. Maar vooral de vroegmis stond Layla nog bij, de vrouwen in klamme wol, de wierook die in de schaduwen was blijven hangen, een midwinters donker, nog niet helemaal daglicht, als de mis uitging... en de geur van nattigheid op linoleum, gesmolten sneeuw.

Een lekker pittige ale voor een regendag, zei Edgar, terwijl hij een paar overschuimende pullen neerzette. Daar krijg je haar van op je borst.

Maar ik wil geen haar op mijn borst.

Dan niet, zei hij.

Te hard, vals. Hij was zichzelf niet. Niet de attente, zachtmoedige man die de vorige nacht in haar kleine bed had geslapen, lepeltje lepeltje vanwege de kou en klamgheid. Haar medestudenten wisten het nu, wat geen punt was, nam Layla aan. Ze was Daniel toch zat, of hij was haar zat. Maar waar was de zachtmoedige Edgar?

Degene van wie ze hield.

Ze had geen probleem met het woord, al had ze het nooit tegen hem gezegd, het nooit zo gezegd. Ik hou van vissen. Ik hou van die wijn. Maar nooit: ik hou van jou. Nooit tegen een minnaar, tegen Daniel, tegen wie dan ook.

Ik ben eigenlijk gek dat ik hier woon, zei ze. Moet je kijken! Nog niet eens vier uur in de middag.

Nu was zij ook vals. Vals en vals. Het gelukkige huichelpaar. Ze staarden naar het water buiten en zagen alleen hun gezichten naar hen teruggekaatst in het raam, blauw in het neonlicht. Hij zag er zorgelijk en verward uit en toen ze zich realiseerde dat zij de oorzaak was van zijn zorg en verwarring, verhardde ze weer tegenover hem. Laat me dan met rust.

Ik heb ooit in Olympia gewoond, zei hij. Haalde op een ochtend mijn schoenen onder uit de kast, waren ze helemaal groen beschimmeld. Dat deed voor mij de deur dicht.

We praten en we praten en we praten en we zeggen nooit wat we bedoelen.

Edgar keek alsof hij geslagen was – stomverbaasd, daarna kwaad. Dat gaf ten minste een beetje bevrediging.

Wat wil je weten? zei hij. Vraag maar. Wat je maar wilt.

Oké: wat doe ik hier?

Misschien moet je dat niet aan mij vragen, zei hij. Ik wilde dat je meeging naar mijn opening. Ik heb gevraagd of jij dat wilde. Hoor eens, ik wil wat ik wil, ja? Als jij vindt dat ik zoiets niet moet vragen, dan doe ik dat niet meer.

Dat is niet wat ik bedoel.

Nou, wat bedoel je dan?

Ik weet het niet, zei ze. Ik weet het echt niet. Ik heb alleen het gevoel dat we ons in de nesten hebben gewerkt omdat we er gelukkig van werden en nu zijn we allebei voortdurend ongelukkig. Voortdurend! Ik bedoel, aan je denken maakt me gelukkig, maar alles eromheen niet.

Ik weet het.

En jij hebt alle touwtjes in handen, zei ze. Jij neemt alle beslissingen. Ik ben er gewoon voor de lol.

Dat is niet eerlijk.

Nou, zeg het me dan. Vertel mij dan hoe het wel zit.

Edgar zei niets, klampte zich alleen met zijn koude, magere hand aan zijn bierpul vast en keek uit het raam naar de passerende schepen, de hutten en de stadslichten. En ze hoefde alleen maar haar arm over de tafel uit te strekken en zijn hand te pakken en alles zou weer goed zijn, ze wist het. Hij ging met een oude grijze trui, waarvan ze wist dat er een gat in de oksel zat, met afgetrapte hoge schoenen en in spijkerbroek naar zijn eigen opening. Ze was dol op die trui. Toch kon ze zich er niet toe zetten. Ze reisden als vreemden over het donkere water.

*

*Een clou, maar zonder grap:* negenendertig jaar, slank en sterk. Taylor was de bergen in geweest op zijn fiets, een mooie oude Ritchey die nog steeds aan de balken in de garage op zijn terugkeer hing te wachten. Voelde de eerste pijnscheuten een paar kilometer op de Rattlesnake, keerde om en reed naar beneden, haalde het begin van het parcours waar iemand een mobiele telefoon had, en belde zelf de alarmlijn.

June werkte die dag op de kraamafdeling vijf verdiepingen boven de Spoedeisende hulp, maar ze hoorde het pas een uur later en tegen die tijd was Taylor dood. Het had geen verschil gemaakt. Ze vertelden haar dat hij in de ziekenwagen op de terugweg in coma was geraakt en eigenlijk nooit meer was bijgekomen, hoewel zijn leven nog aan een draad hing toen ze hem binnenbrachten en dat zit haar nog steeds dwars. Ook al wist hij het niet, misschien zou hij toch de aanraking van haar hand hebben herkend. Het is zo'n gedachte waarvan ze weet dat ze die niet moet toelaten, maar dat schijnt ze niet te kunnen; vijf uur in de ochtend, net licht buiten en June ligt alleen in haar bed te denken aan iets wat in een ander leven is gebeurd... Stel dat ze dat ogenblik terug kon krijgen?

Het had niet echt uitgemaakt. Een minuut meer of minder. Sommige mensen hadden hun hele leven geen liefde gekend. Zij hebben jaren gehad. Maar stel dat ze het had geweten?

Om en om en om.

Haar leven gaat nu in omgekeerde richting. Van het huidige moment, dat zo onwerkelijk lijkt dat het misschien niet eens bestaat, terug naar de tijd dat ze alleen maar gedachte, gevoel en pijn was, het jaar na de begrafenis waarin ze op het kleed in de woonkamer lag met Rosco, alleen om de warmte van een ander levend lichaam naast het hare te voelen en Rosco – nog een jonge hond, slank en mooi – was bereid om eindeloos bij haar te liggen, en hij bewoog zich niet totdat ze hem liet weten dat het goed was. Nu is ze slechts een scenario, een stel bedoelingen en aanwijzingen. Toen was ze een ongeluk, overgeleverd aan het toeval. Maar vóór die tijd was ze echt, had ze een lichaam en een man en samen hadden ze zich de Bitterroot op gewaagd om een nest golden retrievers te gaan bekijken en hadden hem gevonden in een naar bleekmiddel stinkende trailer. De vrouwen die hem hadden gefokt en verzorgd waren allebei pas gescheiden en een van hen had kanker en er zat een lelijke eenzame papegaai in de hoek. Het was alsof de wereld van toen drie dimensies had en nu plat was geworden, een tekening. Er waren twee papegaaien geweest; de fokster paste erop voor een meisje in een rolstoel, en een van de papegaaien was doodgegaan en ze zou hem vervangen – het meisje was bijna blind, dus die zou het nooit merken – maar toen zag het ernaar uit dat het meisje zelf dood zou gaan en dus had het geen zin om een nieuwe te kopen. Bovendien, zei de fokster, deden de papegaaien afschuwelijk tegen het meisje. Ze pikten haar alleen maar, soms tot bloedens toe.

De hondenfokster was zo dik en ongezond dat ze hijgde als ze probeerde van de ene kant van de kamer naar de andere te komen, en bukken om een pup op te pakken was haar bijna te veel, maar de honden zelf waren levendig, glanzend en leuk. Ze gaf een pup aan Taylor en een aan June en dat was Rosco. June wist het meteen toen ze hem vasthield. Die ogen!

Ze hadden allebei het gevoel gehad dat de dood boven die trailer zweefde, wachtend om toe te slaan. Ze hadden allebei een bang voorgevoel gehad in afwachting van de dag dat ze hem konden ophalen; en daarna, toen die dag was gekomen, hadden ze het gevoel dat ze hem van die dood hadden gered.

Taylor had jaren eerder – misschien nog in zijn studententijd, dacht ze – eens door LA gereden toen hij door de politie werd aangehouden, voor een ander aangezien, en die hufterige agenten in LA drukten hem plat tegen de motorkap van zijn auto met een knuppel tussen zijn benen en ze schreeuwden tegen hem: Klootzak, klootzak waar heb je de rosco? Taylor wist niet eens dat ze er een pistool mee bedoelden, maar ze hielden pas op nadat ze zijn hele auto binnenstebuiten hadden gekeerd en hij een halfuur in de zon met zijn wang op de motorkap van zijn auto had gelegen.

Daarom noemden ze de hond Rosco.

Taylor had in LA geprobeerd om in de jazzscene te komen. Trombone was zijn eerste liefde, zijn enige liefde. Ieder ander luisterde naar de Blues Magoos en Jimi Hendrix en hij zat in zijn slaapkamertje op eenhoog in Hamilton, Montana, naar 'Chasing The Trane' en 'Ornithology' te luisteren. De intelligentie zat in zijn lijf, niet zozeer in zijn hoofd. Je zag hem nooit met een boek in zijn handen. RL was ook een beetje zo. Taylor verdween, zodra zij aanstalten maakte te gaan zitten met een boek en glas wijn – god, wat had ze in die tijd vreselijke bocht gedronken – meteen naar de garage met een moersleutel in zijn hand om iets te repareren of te slopen. Hij had ook een ruimte in het souterrain, met oude matrassen en tapijten bekleed, waar hij een platenspeler had staan en met zijn trombone ging studeren en June moest dan doen alsof ze het niet hoorde. Hij was een goede trombonist, maar alleen solo zonder een ander instrument werd vervelend. Het was 's zomers niet zo erg, wel in december wanneer ze niet naar buiten kon.

Taylor wilde hem Bird noemen zodat hij een hond zou hebben die Bird heette, maar June vond dat je een hond niet meer in verwarring moest brengen dan nodig was. Dus Rosco. Rosco omdat het een beetje gevaarlijk was vanwege dat akkefietje in LA en ze het gevaar hadden bezworen door hem mee naar huis te nemen.

Toen werd hij ziek. De derde dag dat ze hem thuis hadden begon hij 's ochtends bloed over te geven en had hij bloederige diarree.

Taylor zei het, maar June wist in haar hart meteen wat hij bedoelde toen hij zei dat ze dit over zichzelf hadden afgeroepen. Iets griezelig magisch, alsof ze hem Bird hadden genoemd en hij was weggevlogen. In de kamer met linoleum zitten wachten op de uitslag. Ze hadden de nietige, nauwelijks nog levende puppy in een deken meegenomen en Taylor had hem tegen zijn borst gedragen en Rosco kon niets binnenhouden, een stroom bruine vloeibare stront met rood bloed liep over de voorkant van Taylors shirt. Het was parvo, zei de dierenarts, we zullen hem een infuus geven om hem rustig te houden en er het beste van hopen. Ze zaten die avond met zijn tweeën in de bar te bidden tot wie of wat ze ook maar konden bedenken, in de wetenschap dat ze dit over zichzelf hadden afgeroepen en dat die hulpeloze kleine pup moest boeten voor hun fouten. Het was niet eerlijk. Hij had niemand iets misdaan. Het was maar een klein kereltje dat niemand kwaad wilde doen. Het was een goeie hond.

Als hij die eerste nacht maar doorkomt.

Dat had de dierenarts gezegd.

En dat deed hij. Heel dat lange leven, al die dagen van herten achterna zitten en ochtendzon op de keukenvloer, dat hing die eerste nacht aan een zijden draad, maar hangen bleef het. De zijden draad hield. De hond bleef leven, morgen dertien jaar. We zijn een kogel ontlopen, had Taylor tegen haar gezegd. We zijn toen een kogel ontlopen.

*

*Tom Champion haalde hen af* op de veerbootsteiger, een omarming, een uitbundig weerzien: oude familievriend, en toen de aarzelende hand voor Layla. Wie was dat?

Aarzelend welkom. Voorlopig. Voorwaardelijk.

Een druilerig donkere avond. Zij met haar minieme bagage op de achterbank, terwijl Champion en Edgar over oude vrienden en familieaangelegenheden spraken van wie Layla nooit had gehoord. Wat ze best vond, best. Zij had ook haar geheimen, en haar verrassingen. Het zou wel eens van jou kunnen zijn, dacht ze. Het zou kúnnen. Regen in schuine strepen en spetters tegen het zwarte glas. Overal om hen heen koeienweiden, groen en donker, af en toe een boerderijlicht tussen de druipende bomen. De al te snelle vierdeurs, het meisje op de achterbank, ontvoerd. Ik ben het spanningselement, dacht ze.

Na een minuut of twintig werden de lichten talrijker, opende zich het bos en waren ze in een schattig stadje. Het was zo schattig. Haar hart bezweek gewoon bij het zien van al die puntpaaltjeshekken, al die overnaads betimmerde gevels, die kamerdennen en apenbomen.

Mercedes-SUV's stonden langs de slapende straten, samen met kekke sportautootjes. Hier geen rottende sneeuw of hertenkadavers, geen afgedankte bubbelbaden, geen jachtkampeerders. Verneukt, verward en ver van huis. Edgar zou begrijpen dat ze hier niet thuishoorde, zou begrijpen waarom. Hij was ook van huis, afkomstig uit Cut Bank. Hij wist welk eind van een kettingzaag de voorkant was.

Maar Edgar zat voorin met Tom Champion over filmsterren en Microsoftkapitaal te praten. Dit is geen Bigfork, zei Tom Champion. Dit zijn geen mensen voor gietijzeren Kokopelli-souvenirs. Dit zijn serieuze collectioneurs.

Niks op tegen.

Ze kopen zorgvuldig. Als het werk hun bevalt, nemen ze er veel van. Maar ze kopen niet om zomaar iets te kopen. Het zijn geen vakantiegangers.

Ze wonen hier.

Voor veel van hen is dit hun tweede of derde huis. In veel van die huizen zie je niet al te vaak licht branden. Maar, inderdaad, sommige van die lui komen hier en blijven dan hangen, doen vrijwilligerswerk op de scholen, en dergelijke. Gene Hackman kwam vorig jaar naar de open dag van mijn dochters school. Aardige vent, naar ik hoorde.

Gene Hackman, zei Edgar. Wauw. Ik wist niet dat hij nog leefde.

Het stadje zelf zag eruit als speelgoed, een decor van een miniatuurspoorbaan tot bijna levensgroot opgeblazen, en het gesprek van de mannen leek bij het pakket van het stadje te horen. Mannen, mannen, mannen, manlijke mannen. Plotseling dacht ze aan June en miste ze haar ontzettend. Een wereld zonder mannen. Een steuntje, liefde tijdens Layla's kannibalenzomer. Bloed en ijs, bevroren lijken in de straten. Daniel met zijn gedichten en zijn haar. Het lijkt allemaal mijlen- en mijlenver. Als mannen geen oorlog meer maakten, zouden vrouwen dan beginnen? Goeie vraag eigenlijk.

Goeie opkomst, zei Tom Champion. Door de glazen voorgevel van de galerie zag ze het vernissagepubliek in kasjmier en spijkergoed, de mensen uit de diverse catalogi met hun cataloguskapsels, goede tanden en plastic bekertjes wijn in de hand praten, praten, praten en twintig keer *precies dezelfde tekening* aan de muur. Wat was dit?

Edgar grinnikte opgelaten naar haar toen hij haar van de achterbank hielp. Ik wist het niet, zei hij. Ik was van plan het je te zeggen...

En ze wist werkelijk niet wat er was om zenuwachtig over te zijn, tot ze achter de twee mannen de warme, lichte ruimte betrad en zag dat ze niet allemaal hetzelfde waren, ze allemaal ietsje anders, maar ietsje, en het waren allemaal tekeningen en schilderijen van haar gezicht, Layla's gezicht. Twintig of dertig portretten van haar, en toen viel de kleine menigte stil, enkele tientallen mensen keerden zich naar de deur waar zij en Edgar stonden en ze glimlachten naar haar, goedkeurend, en begroetten hen.

Een soort paniek, een gevoel dat ze niet kende. Ze deinsde achteruit, duwde Tom Champion opzij, liep de deur uit en de regen in. Ze hapte naar lucht.

Hij kwam achter haar aan de straat op.

Het spijt me, zei Edgar. Ik had het je willen zeggen.

*Wanneer precies?* De woorden kwamen in haar op, maar ze kon ze niet uit haar mond krijgen, een hete bal van woede zat vast in haar keel, verstikte haar.

Ik dacht dat je het leuk zou vinden, zei Edgar. Ik vond het leuk.

Daar op straat droop de mistroostigheid overal om hen heen. De lichten vervaagden in de regen tot een plotseling oneindig zwarte nacht.

Mijn gezicht, zei ze ten slotte.

Dat is het niet, zei hij. Daar gaat het niet over. Kom maar kijken.

Nee.

Alsjeblieft.

Ze had niets te zeggen.

Alsjeblieft, zei hij nog eens.

Het punt was, ze hield van hem, dat was zo. Hij wilde

haar geen kwaad doen. Maar al die afbeeldingen van haar gezicht, al die mensen die naar haar keken. En ze was bovendien een stijfkop die niet graag iemand iets toegaf, die geen duimbreed wilde wijken. Maar misschien moest ze gewoon zwichten. Het ging niet zo geweldig als ze dingen op haar manier deed. Misschien had Edgar gelijk, of misschien moest ze zichzelf wijsmaken dat hij gelijk had, gewoon toegeven, zich laten leiden.

Oké, zei ze. Laat maar zien.

Ze liepen traag als in een droom naar binnen. De kleine menigte week uiteen, liet een kring rondom hen open toen ze hun ronde door de galerie begonnen. Ze herkende het eerste werk van die regenachtige dag in de hengelsportwinkel, ze herkende het licht, de herinnering eraan, zacht potloodgrijs.

Dat was misschien de kiem, de plek waar alle andere waren begonnen: die dag. Daar was het allemaal begonnen. Vanaf dat eerste potloodportret waren ze gegroeid en van vorm en kleur veranderd, een paar in kleurpotlood, een paar in olieverf, allemaal hetzelfde formaat, haar formaat, zo'n zestig bij vijfenveertig centimeter, en allemaal in dezelfde zilverkleurige lijst, alsof je van de ene in de andere spiegel keek: deze in felle kleurvlakken, de volgende bijna een foto. In elke zat een gelijkenis en een stemming. Net als het weer wisselden de gevoelens van gezicht tot gezicht, van grimmig tot triest tot heimelijk geamuseerd. In veel ervan zag ze eruit of ze een geheim had en het was vreemd om te bedenken dat ze inderdaad een geheim had en het een geheim geheim was dat zelfs Edgar niet kende, dat niemand kende behalve zijzelf. Het was vreemd om vanuit elke vervormende spiegel haar geheim naar zich te zien terugstaren, elke nieuwe variant van haar te zien terugkijken.

Het was allemaal best mooi, nam ze aan, bijna een spel. De kleine variaties, het volgehouden thema, het leek na een tijdje knap. Tot de laatste.

Aanvankelijk dacht ze dat het alleen een leegte was, een lijst om een zwart niets, wat een ingenieus slotstuk leek. Toen zag ze haar gezicht opkomen uit het zwart – een laag was of krijt over het hele oppervlak – en de lijnen van haar gezicht kwamen op uit diepe krassen tot op het doek. Het leek alsof het gezicht uit het donker was gescheurd en de uitdrukking was er een die ze herkende, ze kende het gevoel, hoewel ze het nooit op haar eigen gezicht had gezien, het verdriet dat uit haar was gescheurd, alles wat zat in het houden van hem, maar hem niet bezitten. De plek van het verdriet zelf, haar bodem, dode kinderen bevroren in de sneeuw. Al haar dode kinderen. Hoe wist hij dat van haar?

Het is prachtig, zei ze. Ik vind het verschrikkelijk.

Zeg dat niet.

Ik voel me gewoon... *naakt*, weet je? Je hebt me erin geluisd.

Ik hou van je, zei Edgar.

Ja, maar je hebt me erin geluisd.

Plotseling stond Tom Champion tussen hen en waren ze weer in een zaaltje, weer bij mensen en de zeepbel knapte. Ik wil je graag aan een paar mensen voorstellen, zei hij tegen Edgar. Sorry dat ik stoor, maar ze zijn hier al een tijdje, ik wil je aan hen voorstellen voor ze weggaan.

Hij nam Edgar bij de elleboog, leidde hem naar de deur, liet Layla achter in het zaaltje staan met haar zwarte spiegel als enig gezelschap. Edgar keek met een smekende blik naar haar om, en ze wist dat er niets onherstelbaars was gebeurd, nog niet. Ze zou het hem voorlopig vergeven. Het was erg wat hij had gedaan. Tegelijkertijd een beetje spannend. Het voelde gevaarlijk, onthullend. Niemand hier wist wat het geheim was, maar iedereen in de galerie zou die avond weten dat er een geheim was. Haar geheim. Ze keek weer de galerie rond en zag haar eigen gezicht vanaf elke wand naar haar terugkijken, in allerlei stemmingen en omstandigheden. Als het weer, dacht ze. Ik ben net het weer. Iedereen praat over *mij*.

*

*Mexico: het had Marokko* of waar dan ook kunnen zijn. Ze spreidden de folders uit op de eetkamertafel – RL was ze speciaal gaan halen bij Wide World of Travel – en schouder aan schouder bestudeerden ze de mogelijkheden. Ze spraken niet over de onmogelijkheden. Bruisend water, palmbomen en blauwe lucht. Buiten een naargeestige novemberavond, iets boven het vriespunt, de vijftien centimeter sneeuw van de afgelopen week ontdooide langzaam, maar vroor in de kleine uurtjes weer op.

Puerto Vallarta leek Betsy wel wat, al was het in Cabo waarschijnlijk beter snorkelen. RL vond San Miguel de Allende er wel goed uitzien. Wat dan ook. Overal behalve hier. De chemo zou de volgende dag weer beginnen. De laatste ronde.

Ik ben altijd dronken wanneer ik bij je ben, zei Betsy. Waarom is dat? Verder ben ik nooit dronken.

Ik word knap en geestig van whisky.

Werkt het ook zo bij mij? Word ik er mooi van?

Jazeker, dacht hij, jazeker. Maar hij zei het niet. De lange, glooiende welving van haar hals, haar heupen in de hippierok die ze droeg. Eigenlijk zag de rok er in het gedempte licht van de eetkamer elegant, zelfs chic uit. RL voelde in haar elegantie een gebroken belofte. Hij zag haar zoals ze nu was en tegelijkertijd zoals ze als twintigjarige was geweest: helemaal niet vogelachtig of zenuwachtig maar behoedzaam en intelligent. Ze wikte een hele tijd voordat ze reageerde op iets wat hij had gezegd: ze dacht na voordat ze sprak, wat RL zenuwslopend vond. Hij was nooit voorzichtig. De korte tijd die ze samen waren geweest herinnerde hij zich als een opeenstapeling van blunders. Ze kregen het nooit in balans, geen van tweeën. Hij begon wanneer zij was gestopt en dan stopte hij maar begon zij weer, behalve in bed. Daar hielden ze hun mond en lieten het gebeuren. Zijn pik roerde zich nu hij eraan terugdacht, de nabijheid van Betsy.

Jij hebt geen hulpmiddelen nodig, zei hij. Je bent bijna altijd mooi.

Maak me niet aan het lachen, zei ze. Maak me niet aan het huilen.

Ik meen het.

Dan doet de whisky zijn verdorven werk, zei ze.

*

*June gaat de voordeur* van haar eigen huis binnen, en daar zit Howard Emerson aan de eettafel te bellen. Alleen voelt het niet meer als haar eigen huis en ziet het er niet meer zo uit. Haar eigen meubels, alles wat ze heeft aangeraakt en bemorst, alles waarmee ze heeft geleefd, staat in de opslag bij de Wye, en Howard heeft er Noord-Californië voor in de plaats gezet – ten minste, wat op Noord-Californische stijl lijkt – donker hout, varens en pseudo Frank Lloyd Wright. Misschien was het geen Californië, het viel moeilijk te zeggen. In ieder geval geen Montana. Geen June.

Howard klapte zijn mobieltje dicht en keek haar stralend aan. Het ging allemaal van een leien dakje, zei hij

June zei: Je hebt je hoed weer op in huis.

Hij keek haar even verrast aan, een tikje boos, een tikje maar. Toen nam hij zijn hoed af en hing die over de rug van de stoel.

Ze vroeg: Kopen ze het huis?

Waarom ben je boos op me? vroeg hij. Ik probeer alleen maar te doen wat je wilde dat ik deed.

Ik ben niet boos.

Dat is dan raar, zei Howard. Want je doet net alsof.

Ik ben gewoon uit mijn doen, jongen. Ik wil alleen... ik weet niet eens wat ik wil. Hoe is het gegaan met je klanten?

June wist opeens wel wat ze wilde, en dat was hem de deur uit hebben. Maar ze wist, ach, ze wist niets. Als dat gevoel er over een week nog was, zou ze er iets aan moeten doen. Nu voelde ze zich alleen maar moe, moe.

Ik geloof niet dat het wat voor ze is, zei hij. Ze houden geen paarden en dit is echt een plek voor iemand die land nodig heeft, niet om het maar te laten verwilderen. Maar ik kon merken dat ze gecharmeerd waren. En ze hebben er absoluut het geld voor. Zelfs voor de prijs die wij vragen. Ze komen uit de huizenmarkt van Seattle en voor hen ziet alles eruit als Mexico. Derde wereld.

Ik ben bang, zei ze. Ze was verrast dat de woorden uit haar mond kwamen, maar ze leek niet te kunnen stoppen.

Ik ben moe en ik ben bang en ik ben het zat om voor mezelf te zorgen, zei ze. Ik wil dat jij de man bent die ik wil dat je bent, ik wil dat iemand voor me zorgt, ik wil me nu – eindelijk eens –een keertje veilig voelen.

Ze lachte, niet op een prettige manier.

Ik weet niet eens wat dat woord betekent, zei ze. *Veilig.*

Een struikelmoment, zei Howard.

Wat is dat nou weer?

Ik had het mijne in Seattle, zei hij. Iedereen heeft zijn struikelmoment. Je kunt zelf niet overeind komen. Je moet iemand hebben die je overeind helpt.

Kom tot Jezus, zei June.

Een beetje, zei Howard. Voor mij was het een beetje Jezus. Maar het waren vooral mijn dochter en mijn exvrouw. Gek, ik kan haar nu niet uitstaan maar ze heeft wel mijn leven gered. En niet omdat we toentertijd nou zo goed met elkaar konden opschieten. Het ging al flink bergaf.

Ik wil niet *gered* worden, zei ze. Ik verdrink niet, tenminste nog niet.

Dat is het probleem, zei Howard. Je kunt pas gered worden als je echt verdrinkt. Alleen denken dat je zou kunnen verdrinken is niet genoeg.

Je vertelt me altijd hoe de dingen in elkaar zitten, zei ze. Hoe de wereld draait. En, weet je, ik wou dat ik je kon geloven. Ik wou dat ik je kon vertrouwen. Maar ik denk dat ik dan misschien dingen loslaat die ik vast moet houden, weet je, zoals de manier waarop ik mezelf moet beschermen. Ik kan het niet laten om mezelf te beschermen, ook al zou ik het willen.

Je kunt me vertrouwen, zei Howard. Ik ben wie ik ben.

Maar dat weet ik juist niet. Ben je eigenlijk vriendelijk?

Ik ben best vriendelijk, zei hij. Best.

June liep bij hem weg, naar de keuken met de vreemde tafel en stoelen, de vreemde kunst aan de muren en de exotische planten. Kamerplanten had ze al tien jaar terug opgegeven, toen ze de laatste om zeep had geholpen. Ze schonk een grote bel wijn voor zichzelf in en ging terug naar de eetkamer, waar Howard weer op zijn mobieltje tuurde.

Ik zal zo een Coke voor mezelf halen. Bedankt.

Neem me niet kwalijk, zei June.

Geeft niet.

Ik heb gewoon het gevoel dat er geen plek meer op deze wereld is waar ik thuishoor, zei ze. Ik ben nooit dakloos geweest. Ik heb nooit geweten hoe dat voelde tot nu toe. Dakloos.

Je hebt een huis. Zolang ik het mijne heb.

Dat is niet hetzelfde.

Nee, dat is zo, zei Howard. Ik dacht dat het daar juist om ging, ik dacht dat je het wel zo'n beetje zat was, steeds datzelfde. Je hebt twintig jaar hetzelfde gehad. Begrijp me goed, ik weet het. Je zit in een cocon, en dan moet je die cocon openbreken, en dat doet pijn.

Je moet gelijk hebben, zelfs over ongelijk hebben, zei ze. Ik weet niet eens hoe ik mijn leven op de juiste manier moet verknallen.

Sorry, zei Howard.

Het was haar gelukt hem te kwetsen, dat zag ze. Ergens vond ze dat wel best. Maar ze zag ook dat ze het anders moesten aanpakken als ze de nacht samen wilden doorkomen. En dat wilde ze. Ze was het alleen zijn zo beu dat Howard haar de moeite waard leek.

Laten we ergens heen gaan, zei ze. Ik trakteer je op een alcoholvrije cocktail.

O, nee.

Nee?

Niet vanavond, zei hij. Vanavond moet je me op een scotch on the rocks trakteren, als je per se uit wilt gaan. Ik zeg niet dat het een goed idee is.

Ik ben goede ideeën een beetje zat.

Laten we dan gaan, zei Howard Emerson. Laten we dan nu gaan.

*

*Liefde in de wervelwind.* Liefde in de goot. Liefde op de late ochtend vroeg in de winter als het licht koud en grauw schuin door de ziekenhuisramen valt. Liefde, dacht hij, van een onbepaalde soort. Zijn liefde – zijn onwaarschijnlijke of mogelijke liefde – lag te slapen, te ademen omringd door apparaten. O, Betsy, Beth, Elizabeth.

Hij kuste haar slapende hand.

*

*Baby baby baby baby* baby baby baby baby baby baby baby baby baby baby baby baby baby baby baby, een oorthermometer, een halfjaars abonnement op de luierservice, een nieuw boek, een video van Thomas de Trein en zes of acht nieuwe dekentjes en spreien, allemaal in babybabybabyblauw, want dit keer IS HET EEN JONGEN!

Edgar piept ertussenuit. De ruimte tussen binnen en buiten dijt uit, verder en verder weg van hemzelf totdat hij het gevoel krijgt dat hij gewoon zou kunnen verdwijnen in die triestige... Allemaal vrouwen, trouwens, op één echtgenoot na, een vriend van Amy's werk die op een of andere manier niet de boodschap had doorgekregen dat hij niet naar het babypartijtje hoefde. Allemaal schoongepoetste Rocky Mountain-meiden in de bloei van hun leven, skiesters en hardloopsters en meiden die visten, zij het niet, moest hij erbij zeggen, zoals Layla viste. Die meid kon een vette forel in een badkuip aanslaan.

Halfvier op een winterse zondag. Hard zonlicht ketst op de sneeuw in de tuin, te koud om te ontdooien. Bijna te schel om naar te kijken. Smeltende sneeuw sijpelt van de laarzen bij de keukendeur. De geur van koffie, de herinnering aan Layla's lichaam uitgestrekt over de lengte van het bed. Ontbijt op bed op het eiland, toen ze het hem vertelde, en haar kreeg hij nooit helemaal te zien, alleen stukjes en glimpen. Ze hield haar gezicht, haar buik verborgen.

Edgar en Amy zouden een zoon krijgen.

Hij schonk zich een vingerhoedje bourbon in en ging voor het raam naar het harde zonlicht staan kijken.

Hij had nu al het gevoel dat hij die jongen in de steek liet. Hij zou het zich niet toestaan. Hij zou een weg terug vinden naar Amy. Ze was een lief mens dat in beslag werd genomen door het kind en het komende kind en het was geen goed moment en Edgar hield zich voor dat hij ooit van haar had gehouden. Hij zag de jongen op zijn tiende, op zijn dertiende, vaderloos. Alleen op een fiets door de achterstegen. Een huisdier, iets om tegen te praten. Geen duidelijk vooruitzicht. Edgar zou niet toestaan dat zoiets gebeurde. Hij droeg die jongenseenzaamheid nog steeds in zich mee, iets wat de tijd nooit kon uitwissen, net zomin als het huwelijk. Daar raakten hij en Layla elkaar, op die eenzame plek, dacht hij. Koud, verblindend licht buiten. In die hele koude wereld was zij degene die hem raakte. Hij mocht en zou die eenzaamheid niet doorgeven.

En daar was Amy, in de deuropening. Kom nou, zei ze. Kom erbij. Iedereen is er.

Ik kom zo, zei hij.

Toe nou.

Ik ben er zo, zei Edgar. Laat me even. Ik kom eraan.

*

*Eieren en worstjes* naast het fornuis, de grote gietijzeren bakplaat gereed voor bosbessenpannenkoeken, versgemalen koffie van de Butterfly, gezet met gefilterd water, een grote schaal al gehalveerde sinaasappelen bij de pers, echte ahornstroop en boter van biologische koeien, toast en thee voor het geval ze op thee was overgegaan, Layla was thuis.

Layla sliep boven en RL was druk bezig in de keuken, terwijl hij naar mandolines en steelguitars op achtergrondvolume luisterde, meer voor wat kleur in de lucht dan voor wat anders, de lucht die naar verse koffie rook, het licht van een winterzondag vlak en grijs, een lappendeken van ijs op de grond en een lage, grauwe hemel. De verloren dochter, dacht hij, alleen niet verloren. De vorige avond had de vlucht door ijsmist vertraging op vertraging opgelopen, en toen ze eindelijk mochten landen en terug naar de stad reden, leken de bomen witte geesten van zichzelf, elke twijg en elke tak gehuld in een vlies van witte ijzel.

Alleen al om haar bij zich te hebben, onder zijn dak dezelfde lucht in te ademen. Pas toen hij haar de aviobrug uit zag komen realiseerde hij zich hoe eenzaam hij was geweest. RL kende het proces en hij had er vrede mee, min of meer: je strikte hun veters en je leerde ze autorijden en welke vork ze wanneer moesten gebruiken – hij hoopte tenminste dat hij dat goed had gedaan – en opeens waren ze de deur uit en bij je weg. Als een hond, je kocht een hond, zorgde ervoor, had er plezier mee, liet hem met je leven vergroeien en dan ging de hond dood. Kinderen waren beter. Die gingen alleen maar weg en kregen belangstelling in stukken leven buiten jou, waar in theorie niets mis mee was – anders zat hij nu nog in Ohio, waar zijn ouders vroeger woonden – maar in de praktijk hielp dat niet. Je had het maar te pikken, nam hij aan. Toch was het moorddadig haar terug te hebben.

Misschien was het tijd om weer een hond te nemen.

Ze was niet helemaal in haar gewone doen toen hij haar gisteravond ophaalde. Ze zei dat ze doodmoe was, wilde alleen welterusten zeggen en naar bed toen ze thuiskwamen, iets van vermoeidheid en spanning in haar gezicht maakte dat hij haar geloofde, op een of andere manier hield ze hem op afstand, zodat hij het gevoel kreeg dat hij haar geen moment goed kon bekijken. Ontwijkend als altijd. Misschien toch iets anders, misschien iets meer. De grote stad die zijn tol eist.

IJs kraakte op de oprijlaan: Junes Prius kwam hen bezoeken. RL voelde een scheutje jaloezie – mijn huis, mijn dochter –, herinnerde zich toen dat hij hen zelf had uitgenodigd, met het idee dat Layla tegen de middag wel op zou zijn. Hij keek hoe Junes vriend zich uit de passagiersstoel wrong, de witte bol van zijn hoofd bloot in de ochtend. Daarna de hoed. Howard, schoot het RL te binnen. Het wit van Betsy's schouder, datzelfde bleke.

Een zwarte wolk schoof voorbij: geen dochter, geen Betsy, een lege plek en hij kon er niets tegen doen.

Maar de geur van koffie monterde hem op, en ook het uitzicht op die grauwende snauwende twee op de inrit. Het had iets plezierigs om eens een ander stel te zien ruziemaken. O June, dacht hij. Hoed je voor ijzeren dames.

RL begroette hen bij de deur met een vinger op zijn lippen. Ze slaapt nog, fluisterde hij. Ze is gisteravond laat aangekomen.

Ik vroeg het me al af, zei June, met die mist en zo...

Dampende koffie, zei Howard. Ik ben echt toe aan een bak dampende koffie.

Dan ben je hier aan het goeie adres, zei RL, zich daarbij realiserend dat Howard hem net zomin mocht als hij Howard. June wist het en ze drentelden ongemakkelijk door de keuken.

Ruikt hier goddelijk, zei Howard.

Dank je, zei RL en keerde zich naar June. En hoe voelt het om rijk te zijn?

Ik ben niet rijk.

Toch een stuk meer in die richting dan ik.

Om ziek van te worden, hè? zei Howard. Ben je eindelijk miljonair, is het uitgerekend het moment dat het helemaal niks meer betekent. Gewoonste zaak van de wereld.

Ik hoorde van twee miljoen, zei RL tegen June.

Twee komma vier miljoen, zei Howard.

RL zou Howard niet meteen op zijn neus slaan als hij voor June bleef antwoorden, maar het was een aardig idee.

Wanneer ga je verhuizen? vroeg RL haar.

Eerste van het jaar, zei June. Ik moet er niet aan denken. Ik pak gewoon een koffer in en ga daar een tijdje uit leven, de rest gooi ik allemaal in de opslag. Neem gewoon iemand in de arm om het te regelen.

Ga naar Hawaii.

Zou mooi zijn, zei ze. Ik zou in januari een weekje vrij kunnen nemen, even bijkomen. Maar nee, ik ga gewoon naar mijn werk, zoals altijd.

Koop je een nieuw huis?

Later, zei ze. Eerst trek ik bij Howard in.

RL had hier niets over te zeggen, dat wist hij, maar toch kwam het aan als een stomp in zijn maag. Waarom? Het sloeg ook nergens op. Maar Howard moest het hebben gezien, want hij haastte zich om te antwoorden.

Niet samen samenwonen, zei hij. Niet als een stelletje studenten. Ik heb een logeerappartement boven mijn garage.

Echt heel aardig, zei June.

Zij moest het dus ook aan zijn gezicht hebben gezien.

Het stinkt naar paarden, zei Howard.

Valt best mee, zei June.

Goeiemorgen allemaal, zei een slaperige Layla vanuit de deuropening.

De energie in de kamer brak op en verschoof met haar verschijning, kleine bundeltjes licht, meisjesachtig... In haar roze donzen badjas gleed Layla over de keukenvloer van de een naar de ander om hen te kussen, zelfs Howard, haar voeten leken de grond niet te raken, voor het oog verborgen onder de roze teddybeervacht. Hier gebeurde iets. Wat? RL dwong zich om weg te kijken voordat ze aan zijn gezicht zag hoeveel hij van haar hield, hoe onbeschermd, hoe bloot hij was, en een vader mag nooit zo bloot zijn. Hij schonk een kop koffie in en wilde die aan haar geven.

O, zei ze. Nee, dank je.

Weer dat gevoel dat ze niet helemaal in de kamer was, dat iets werd weggehouden, achtergehouden.

Ik ben net van de koffie af, zei Layla. Seattle, begrijp je.

Ik dacht dat Seattle het wereldcentrum van de koffie was, zei Howard.

Dat is min of meer het probleem, zei Layla. Ze vulde de ketel en zette die op het gas, keerde zich toen naar June. Ik hoor dat je stinkend rijk bent.

Niet echt. Wel rijker dan eerst.

Dan moeten we schoenen gaan kopen.

Je kunt hier nog steeds nergens schoenen kopen, zei June. Tenzij je er zo wilt uitzien als ik.

Ze keken allemaal naar Junes gezonde, makkelijke klompen: wat bolle, met kurk gevoerde dingen van Zweeds leer. Bruin. Allemachtig stevig en gezond, dacht RL. Ze leken op June.

Layla zei: Ik snap niet waarom je niet een keer naar Seattle komt. Je hebt daar waanzinnige winkels om schoenen te kopen. Je kunt het zo gek niet bedenken of ze hebben het.

Zal ik doen, zei June. Maar eerlijk gezegd…

Onzin om daar zoveel geld aan uit te geven, zei Howard.

Op dat moment rook RL de kroeglucht aan hem, de verschaalde adem van de whisky van de vorige avond. Dat was onverwacht. Een snelle tweede blik, en daardoor zag Howard dat hij het had opgemerkt, een sprankje uitdaging: nou en? Gaat het jou wat aan?

In mijn huis, zei RL, doen we gewoon een stapje opzij wanneer een mooie vrouw schoenen wil kopen.

June schoot in de lach en Howard keek haar en daarna RL kwaad aan.

Howard zei: Driehonderd dollar voor een paar schoenen.

Ik heb dat wel eens uitgegeven aan een paar Tony Lama's, zei RL. Had ik waarschijnlijk niet moeten doen, maar toch.

Hij glimlachte, ingenomen met zichzelf, keek toen naar zijn dochter om te zien of zij ook ingenomen met hem was. Maar Layla's gezicht betrok, ze was ergens in zichzelf en ongelukkig.

Gaat het, schat?

Layla hield een hand omhoog, een stopteken, met de palm naar voren – bedekte haar gezicht half met haar andere hand – draaide zich toen om en stoof de kamer uit. Ze waren allemaal een ogenblik stil, keken allemaal van de een naar de ander en dan weer naar de lege plek waar het meisje had gestaan. Toen zei June: Ik ga even kijken, als je het goed vindt.

Mij best, zei RL.

Ik ga een paar boodschappen doen, zei Howard. Ik ben nu toch in de stad. Ik heb het mobieltje.

En iedereen was weg, en daar stond RL weer helemaal in zijn eentje, in zijn keuken vol ongewenst voedsel, midden op de morgen, midden in de winter, in het late midden van zijn leven. Flonkeren en verbleken, dacht RL. Wat mankeerde zijn meisje in godsnaam? Hij liep naar het raam en keek naar de mottige lappendeken van sneeuw op zijn erf en dacht aan Mexico. Het strand, dacht hij. Iets met zon en palmbomen, een of ander tijdelijk soelaas. Een dag. Een week. Het was niet te zeggen.

*

*June op haar knieën,* de aromatische veelkleurige schemering van de oude kerk, de kralen van de rozenkrans tussen haar onwennige vingers. Heilige Maria, moeder van God, vergeef me, dacht ze. Ik heb me kennelijk vergist.

De geur van wierook.

Ze was een vrouw zonder thuis geworden. Ze was een vrouw zonder verhaal geworden. Ze was een vrouw geworden die in haar eentje in een kerk op zondagmiddag de rozenkrans bad, terwijl Howard op footballwedstrijden wedde en donker bier dronk in het casino van Paradise Falls. Ze had geheimen voor iedereen en iedereen had geheimen voor haar.

Maar ze was vooral onwerkelijk geworden. Als ze haar hand naar het roosvenster ophield kon ze er dwars doorheen de gebrandschilderde herders met hun staf en schapen zien. Ze knielde zo licht alsof ze zelf van licht was gemaakt, van zuurstof en helium, van gedachten. Toen Rosco doodging, verloor ze het laatste wat haar met de wereld verbond en nu dacht ze bitter over zichzelf en hoe lichtvaardig ze zijn leven had bekeken. Een oude hond met spillepoten en waterogen. Ooit waren ze glanzend en snel geweest, allebei. Maar tegen het einde had ze erover gesproken – met RL, met Layla – alsof het niet zo belangrijk was, iets waar je niet te zwaar aan moest tillen, bijna lacherig. Zeker, het was een hond en honden konden het niet verstaan, maar June had zichzelf gehoord en wist het nog. Honden en geld, geld en liefde, liefde en alcohol, alcohol en dood, dood en honden, ze voelde haar gedachten maar malen en probeerde zich weer te concentreren op de simpele werkelijkheid van de kralen tussen haar vingers, het gedempte licht en de geurige stilte: *Heilige Maria, moeder van God...*

Want, dacht ze, alcohol is de dood. Die vernietigingsdrang, dat kende ze. Vernietiging aan het eind van elke weg: aan het eind van de tijd, de bodem van de fles, de diepe en droomloze slaap die ze zich uit haar kindertijd herinnert. Zo slaapt ze niet meer maar droomt en schokt en rolt van de ene kant van het bed naar de andere. De vorige nacht was het een bruiloft, haar eigen bruiloft maar niet die met Taylor, een andere man, van wie ze geen moment zijn gezicht zag... Layla was op de droombruiloft geweest, met haar baby, een meisje, een kleine roze bloem.

Terug naar de kern, dacht June. Een vleermuiskrijs van seksualiteit, voor iedereen onhoorbaar behalve voor haarzelf. Hij weerkaatst in de oude kerk, vult langzaam de hoeken, als water. Verdrinken, dacht ze. De baby waar het nooit van was gekomen en toen was het te laat. Neem dat leven en geef het aan de baby, verdrink in babyliefde, *de vrucht van uw schoot...* Honden en geld, geld en liefde, liefde en alcohol, alcohol en dood, dood en honden, honden en baby's, de wervelende wereld om haar heen en niets hield June tegen om mee te tollen in de wervelwind.

*

*RL zocht haar* in het donker van de vroege ochtend op de drukke, helverlichte luchthaven, terwijl de maan langzaam achter de bergen in het noorden zakte – een rand van fel weerkaatst licht omlijnde de pieken en passen. Daarboven de nachthemel nog vol sterren, helder, koud en vrolijk.

Taxi's, echtgenotes en vrienden, einde-seizoensjagers met hun geweerfoedralen en koelboxen vol elandvlees, een hotelpendelbus die de crew afzette, iedereen een beetje katterig onder die grote zwarte hemel, een beetje triest of slaperig of gewoon onnatuurlijk schoon, als een gezicht op een tv waarvan de helderheid te hoog staat. Hij keek uit naar haar kleine Toyota, half en half in de verwachting dat ze het liet afweten. Ze zou trouwens naar de langparkeergarage gaan. Dat was goedkoper. RL voelde zich ongedurig als een bruid.

Een grofkoppige man in een leren jack kwam naar buiten in een zucht warme luchthavenlucht, stak pal naast RL's gezicht een sigaret aan en vloekte op de morgen.

Ik zou niet naar Memphis gaan als het niet hoefde, zei hij. Dat weet je.

Het duurde even voor RL begreep dat hij een oortje in had, mobiel belde en niet zo'n oude walkietalkiefanaat was als die gek bij de Food Farm.

We kunnen het over haar hebben als ik terug ben, zei hij. Het geld gaat je geen bal aan. Dat is het probleem niet.

RL hoorde het nijdige wespenstemmetje in 's mans oor, een wijfjeswesp.

Dat zeg ik je toch, zei hij. Ze is maar bijzaak – we hebben het later nog wel over haar. Hoor eens, ik moet nu aan boord, ze roepen de vlucht om. Ik bel je vanavond. Nee, ik hou ook van jou, maar ik moet nu rennen.

Hij klapte zijn piepkleine mobiel met een krachtige zwiep van zijn pols dicht en grinnikte naar RL. De leugen hing in de lucht als het wit van zijn adem.

Nog niet eens zeven uur in de ochtend, zei hij tegen RL.

RL haalde zijn schouders op: wat doe je eraan? Nu was de leugen ook die van hem.

Kwart voor zeven in de ochtend en ze staat me al uit te kafferen.

Geen idee, zei RL.

Wel een mooie meid, zei de grove kop, die het microfoontje uit zijn oor pulkte en op smeer bekeek. Krijg nog steeds een stijve als ik naar haar kijk.

Hij drukte zijn sigaret uit en slenterde terug naar binnen, een beetje voor zich uit neuriënd. Toen RL weer naar het parkeerterrein keek, stond Betsy voor hem.

Wie was dat? vroeg ze.

Gezicht als een onopgemaakt bed, tassen die van alle kanten van haar afvielen, een vage overdaad aan kleur, strepen en paisleygroen. Ze stond op het punt zich om te draaien en ervandoor te gaan en niet voor het eerst vroeg RL zich af of het allemaal wel zo'n fantastisch idee was.

Niet iemand die ik ken, zei hij, maar het klonk alsof hij loog.

Ze grinnikte vol ongeloof, gaf hem een vluchtig kusje op zijn wang en zei: Op naar Mexico!

RL liep achter haar door de automatische deuren de warme chemische lucht in, verbaasd over haar vele tassen en manden, de reusachtige rolkoffer die ze meetrok en voelde zich kleintjes en zuinig met zijn tasje en zijn keurig compacte trolley. Toch had hij alles bij zich: zonwerende shirts, een reusachtige pet, speciale vingerloze handschoenen en een Aftma-12 Sage, een zware vliegenhengel met een reel ter grootte van een omawekker. Dat laatste leek belachelijk, maar hij was gewaarschuwd om niet te licht materiaal mee te nemen. In zijn verbeelding zag RL zich al uitwerpen in zonnig hemelsblauw water. Hij wist dat hij gek was. Hij kon makkelijk vistuig in Mexico huren, als hij überhaupt tijd had om te vissen. Het was niet ondenkbaar dat de hele handel ongebruikt en veilig in Montana terugkwam – de hengel, de reel, de splinternieuwe lijn. Maar het was alsof je alleen door het ding aan te raken al in helderblauw water viste. Alsof je alleen door het ding te kopen al de ervaring beleefde. Zo verdiende RL een flink deel van zijn brood, door luxe spullen te verkopen aan artsen en managers om mee terug te nemen naar New Jersey, om ze weer een jaar in de kantoorkast te zetten en af en toe eens aan te raken en terug te denken aan herfstdagen op de Missouri of het uitkomen van blauwvleugelnimfen waar grote forellen niet van af konden blijven. Die prachtige Engelse reel, die Tom Morgan-hengel met hun naam vlak boven de reelbevestiging ingegraveerd. Hij wist dat ze gek waren, maar hij was precies hetzelfde. Precies hetzelfde.

Ik ben om drie uur opgestaan, zei ze. Ik heb vannacht geen oog dichtgedaan.

Je kunt in het vliegtuig slapen, zei hij.

Of ik kan mezelf suf drinken, zei ze.

*

*Edgar rende* in de ochtendschemering over het rivierpad, zag rotzooi en elzen langs de waterkant in de mist op- en wegduiken, de rivier zelf komen en gaan en gek genoeg een paar forellen stijgen in het veilige midden van de bedding. In de meeste rivieren bleven de kanjers dicht bij de oever en lieten de stroomgeul aan de kleintjes en de klungels, maar hier zwommen de grote jongens in de sterke stroming, waar het water dik was van de winterkou, en het trage water langs de oever doorschoten met ijs. De lucht was koud, vol minieme, zwevende ijskristallen, zodat zijn longen pijn deden bij het inademen. Wat Edgar voor lief nam. Hij versnelde zijn pas.

Snot droop zijn neus uit en zijn hoofd bonkte. Hij had zich te dik in wol gepakt en nu prikten zijn rug en buik van het zweet en sijpelde de laatste borrel van de vorige avond in druppels bevroren gif langs zijn wang omlaag. Hij zette zijn wollen muts af, stopte die in zijn zak, en de kou beet aan zijn blote oren. Zijn kuiten brandden en zijn ogen traanden. Toch versnelde hij, zette hij nog feller aan.

Hij wist dat ze thuis was, wist dat RL die ochtend naar Mexico was vertrokken. Toch zou hij er niet heen gaan.

Auto's suisden boven hem over de brug, met zoveel meer lawaai dan ze zelf beseften, banden op nat wegdek. Alles smolt of was nog bevroren. Lampen in ramen zagen er geel en warm uit in het eerste licht van de ochtend. De nacht was zo lang, deze tijd van het jaar. De nacht zo lang en de wind uit Hellgate zo koud dat die dwars door hem heen blies. Een flard van een volksliedje maalde maar door zijn hoofd: *in het woud, in het woud, is het donker en zo koud...* Hij voelde zichzelf iets ouds, iets met banjo's. Het valt niet mee om te ontdekken dat moeilijkheden echt zijn. Het is niks nieuws, kan van vuil gezegd worden.

Al die normale, redelijke levens die zich rondom hem ontplooiden, al dat voorspelbare krantenlezen, boterhammen smeren en kind gedag kussen. Toast en koffie maken. Ergens in deze stad waren een slaperige man en een slaperige vrouw aan het vrijen, halfwakker, langzaam en stil onder de dekens om het kind niet wakker te maken. De liefdeswereld was overal om hem heen. Edgar bewoog zich er koud en eenzaam doorheen, maar dat hoorde niet bij hem. De liefde scheen over alles, en nu was het even winternacht, lang en koud, maar dat betekende nog niet dat er geen eind aan zou komen. De zon zou weer opkomen, zoals altijd. Hij stond er alleen half van afgekeerd. De liefdeswereld overal om hem heen.

Alleen al de gedachte aan Layla bracht een klein geluksgevoel in hem boven, iets van warmte in de koude cocon van zichzelf; daarna weer de kou, het kille feit dat hij niet mocht en niet zou, de gedachte aan zijn dochter, de zoon op komst... Hij had verplichtingen op zich genomen en nu kwam het erop aan ze als een man te dragen. En dan een man zijn, oké, een beetje dood vanbinnen, maar doorzetten, het niet af laten weten, en zijn Amy zou af en toe naar hem glimlachen en was dat niet genoeg? Het zou genoeg moeten zijn. Het moest genoeg zijn.

In een ander leven zou het genoeg zijn. In een andere huid.

Hij klopte aan en hield zijn adem in, luisterde naar voetstappen, die hij niet hoorde. Ze sliep nog of was weg. De wereld, die een ogenblik eerder zo bont en gevaarlijk had geleken, hernam haar grijze gezicht. Sneeuw die op het dode gras lag te rotten.

Toen ging de deur zachtjes op een kier en stond ze daar in haar roze badjas, slaap op haar gezicht. Ze keek verbaasd, bezorgd. Maakte de deur niet verder open.

Mag ik binnenkomen? vroeg hij.

Ze moest erover nadenken.

Ik dacht dat je niet meer langs zou komen, zei ze. Ik dacht dat we er een punt achter hadden gezet.

Ik was gewoon aan het hardlopen.

Dat zie ik, zei ze; en meteen keerde hij binnenstebuiten en zag hij zichzelf zoals zij hem moest hebben gezien, gewond en bezweet, smekend aan haar deur in een vuile sporttrui.

Ik wilde je niet storen, zei hij. Ik zal wel, eh.

Waarom niet, zei ze, en zwaaide de deur open.

Hij stapte zonder omhelzing of kus naar binnen en ging aan de keukentafel zitten. Ze zei: Ik zal wat koffie zetten en begon koffie te zetten. Ze zei: Ik heb de gekste dromen. Vannacht danste ik de mambo met een jongen die ik kende uit mijn eerste jaar, mijn studiebegeleider Poëzie. Ik weet niet eens hoe je de mambo doet, maar ik danste hem wel.

Ik hou van je, zei hij.

Dat weet ik. Dat is niet echt het punt, hè?

Het lijkt wel of je dit leuk vindt.

Nee, zei ze, en ze zette het koffieapparaat aan en ging tegenover hem aan tafel zitten terwijl het begon te borrelen en sissen. Nee, ik vind dit helemaal niet leuk. Ik vind dit allesbehalve leuk.

Ik kan maar beter gaan.

Ja, dat zou beter zijn.

Geen van beiden verroerde zich. Het begon te regenen of te hagelen, een zacht gekletter op het raam.

RL zit in Puerto Vallarta, zei Edgar.

RL is gek geworden, zei Layla. Het lijkt de laatste tijd een beetje te heersen, het gektevirus. Ik kreeg het gektevirus vorige week toen je niet belde en geen e-mail of niks wilde beantwoorden.

Het spijt me, zei hij.

Ik werd gewoon een beetje gek hier in huis, zei ze. Maar ik vloog tenminste niet naar Mexico met mijn ex-vriendin van honderdvijftig jaar geleden.

Wat wil hij met haar?

Ik zou het niet weten, zei Layla. Ik zou het bij god niet weten. Je kunt het mijn vader vragen wanneer hij terugkomt, maar ik denk niet dat hij het beter weet. Gewoon rusteloos, volgens mij. Overvallen door het gektevirus.

Ze gaf hem een wrange, gemaakte glimlach en Edgar had nog nooit iemand zo ongelukkig gezien als zij. En dat kwam door hem. Dat had hij gedaan. Hij wist niet meer wat hij moest zeggen.

Hij komt er wel overheen, zei Layla. Dat doet hij altijd.

Alsof niets van belang was, alsof het allemaal illusie was, hoop en pijn ineen. Een spelletje waarmee ze niet konden ophouden, maar dat nergens meer om ging. Die bitterheid. Ze was te jong om dat te voelen, te lief. Edgar herinnerde zich haar zoals hij haar had getekend, die prachtige stilte in haar ogen. Ze wist meer dan hij, ze *begreep*. Iets wat hij in haar liefhad. Nu begreep ze niets, ze keek alleen door alles heen.

Ze stond op, schonk koffie in, gaf hem zijn kop en ging weer zitten. Ochtendlicht, haar hand kromde om de koffiekop.

Ik heb zelf ook van die idiote dromen, zei hij. Vannacht probeerde ik met een kettingzaag een boom om te zagen, een grote den met zijtakken tot aan de grond. Die moest ik afzagen om bij de stam te komen en telkens als ik de zaag erin zette, begon de boom naar het huis te hellen alsof hij erop zou vallen, dus dan moest ik stoppen en weer aan de andere kant beginnen.

Van wie was dat huis?

Het was mijn huis, zei Edgar. Maar er was niemand binnen. Ik weet niet hoe ik dat wist, maar mijn gevoel zei dat er niemand thuis was.

Er was niets van waar. Edgar herinnerde zich zijn dromen nooit. Maar hij had het idee dat hij haar in de kamer kon houden, bij zich kon houden, als hij maar doorpraatte. Haar hand liet haar koffiekop los en bleef op de tafel rusten.

Hij zei: Maar telkens als ik naar de andere kant van de boom ging en daar begon te zagen, helde hij die kant op en stond het huis daar!

Als toverij, zei ze.

Ach, zei hij. De spelregels zijn gewoon anders aan de andere kant.

De andere kant van wat?

Heb jij dat nooit gedacht? Die hele andere wereld aan de andere kant? Even werkelijk als deze, en wij zijn maar de droom die ze aan de andere kant dromen. We herinneren het ons alleen niet goed. Zij worden wakker aan de andere kant en ze zeggen tegen elkaar, ik had toch zo'n rare droom.

Je bent veel alleen geweest, hè? Toen je klein was.

Ik was een ingewikkeld kind, zei Edgar.

Was je gelukkig?

Ik weet het niet, zei hij. Gelukkig genoeg. Ik had vriendjes, niet eens allemaal verzonnen.

Haar hand ging open tussen hen op de tafel. Hij hoefde die alleen maar te pakken.

RL heeft me een tijd terug wat foto's van je laten zien, zei hij. Jij met je verjaardagskroontje op. Groot kaalgeknuffeld roze speelgoedvarken. Groter dan jijzelf.

Kotelet je, zei Layla. Die staat nu boven in mijn kast.

Je was mooi.

Layla lachte, ongelukkig.

Iedereen is mooi als kind, zei ze. Iedereen heeft die gave huid en dat prachtige haar, iedereen is slank en leuk en praat de hele dag met engelen. Mensen worden niet ouder. Ze worden alleen slechter.

Dat is niet waar, dat weet je.

Wat?

Er zijn zat dikke kinderen.

Jij niet.

Nee, zei hij. Ik was het jongetje met de flaporen. Mijn tanden stonden scheef en ik was zo mager als een lat. Mijn onderwijzers vonden me slim.

Je was vast een schatje, zei ze.

Hij pakte toen haar hand, ze keken ernaar – hun samengeklemde handen op het tafelblad – alsof het zelfstandige, ongebonden dieren waren, troost zoekende, warmte minnende diertjes met een instinct voor elkaar. Het tikken van de regen of de hagel tegen het raam. En toen stonden ze op, zoenden, en Layla was even lang als hij maar zacht, mooi, kneedbaar, een meisje met een harde kop maar overal elders zacht, en een gevoel van overgave, van gewichtloosheid, het moment in de Gravitron wanneer je alleen maar ronddraait, ronddraait met niets dan lucht onder je voeten, zoenend, en toen waren ze in haar slaapkamer, omringd door haar jeugd, en toen lagen ze naakt op haar jeugdbed en was hij in haar en huilde ze maar wilde niet dat hij ophield. Liet hem niet ophouden. Tranen en snot in zijn hals en, ja, het had iets geils, iets dieps, iets waaraan hij niet wilde denken maar wat hem niet liet denken, zich gewonnen gaf, liet gaan, diep in haar.

*

*Howard dronken* en June dronken en de platenspeler ook. Hij probeerde telkens een oude lp van George Jones af te spelen, maar die bleef steeds op één plek hangen en wilde dan niet verder: *the lip-print on a half-filled cup of coffee that you poured and didn't drink, poured and didn't drink, poured and didn't drink...*

De cd is bedrog, een complot, zei Howard. Hij nam de plaat omzichtig van de draaitafel en bespoot die met een speciale spray en veegde hem met een speciaal blauw doekje schoon en legde hem terug op de pick-up met de zorgvuldige bewegingen van de ervaren drinker.

De muziek is er nog wel op een cd, maar het is net een gordijn of zo, zei hij. Net een sluier. Maar bij deze dingen is de muziek er gewoon, die zit erin geperst, de muziek zelf.

Zoals ik al vaker heb gezegd, zei June, ik geloof je.

Ze laten iedereen zo telkens en telkens weer precies dezelfde muziek kopen, zei Howard. Voor je het weet, is het allemaal micro-digitale huppeldepup met stoeprandsensoren en spatlappen.

George Jones zong. *There goes my reason for living.* Een mist van alcoholische spijt hing in het halfduister, of misschien was het te vroeg voor spijt, misschien was het vóórspijt, dat drinken en roken en weten dat het de volgende ochtend allemaal geen goed idee zou blijken te zijn. June schonk zich nog een klein glas wijn in en Howard pafte zijn grote sigaar. Wat maakte het trouwens allemaal uit. Die amberen melancholie. Die paste haar als een oude trui, als iets wat ze ooit dag in dag uit had gedragen maar niet had kunnen wegdoen, ook al was de whiskeykleurige wol mottig en gerafeld.

Het interieur van Howards huis, dacht ze, leek op het interieur van Howards hoofd, donker en volgepakt met wildwestsouvenirs, een elandkop boven de open haard, een paardenhuid nonchalant over de rug van de bank, veel tekenen van slachting. De kamer zelf was goedkoop verbouwd met modern materiaal en de open haard brandde roerloos op gas. De kamer eindigde niet in de hoeken maar liep gewoon af in onbestemd donker. Prenten van paarden, schilderijen van bizons tegen een winterse achtergrond, hoeven die in de sneeuw klauwden om het schrale gras eronder te zoeken. Alsof, dacht ze. Zet een van ons in zo'n landschap en we zouden binnen een middag stijf bevroren zijn.

Ik wou, zei ze.

Ik wil vandaag of morgen weer terug naar Seattle, zei hij. Ik word te oud voor de winters.

Ik dacht dat je een hekel had aan Seattle.

Heb ik ook, zei hij. Begrijp me goed, die stad is een eersteklas strontgat, zonde dat ik het zeg.

Waarom wil je er dan heen?

Wie zegt dat ik erheen wil?

Jij.

Ik ben deze winters zat, dat is alles. Misschien moeten we na kerst de kant op van Tucson. San Diego, die hoek.

Ik moet werken, weet je nog?

Nee, dat hoef je niet. Ik ben degene die moet werken. Jij bent degene die in het geld zwemt. Bovendien moet er voor de paarden gezorgd worden. Wie moet de paarden voederen als we ergens ver weg gaan golfen?

Ik golf niet, zei ze. Maar ze zei het alleen om haar mond iets te doen te geven, haar te helpen met ademen, te blijven ademen omdat ze gezien had dat hij kwaad op haar was. Er brandde iets in hem wat duister, bitter en echt was. En June had hem niets misdaan.

Door de alcoholmist heen zag ze in dat ze hem niets had misdaan en dat hij kwaad op haar was.

Wat is er? zei Howard.

O, zei June, die lucht probeerde te krijgen, niets. Ik geloof dat ik mijn telefoon in het andere huis heb laten liggen.

Waar heb je een telefoon voor nodig?

Alcohol maakt je belachelijk, dacht ze, maar dat zei ze niet. In plaats daarvan duwde ze zich uit de diepten van zijn leren stoel overeind en liep in één beweging naar haar jas en door de keuken de achterdeur uit waar kleine hongerige herten verstijfden toen ze haar zagen. Ze stonden volstrekt bewegingloos aan de rand van het tuinlicht waar ze zich elke nacht verzamelden. Ze waren bang voor June. De tochtdeur ging met een zucht achter haar dicht en ze was helemaal buiten, misschien tien graden vorst en helder tot aan Mars toe.

De koude lucht ontnuchterde haar ogenblikkelijk. De beschonken laag warmte en sentimentaliteit was weg en ze was naakt voor zichzelf. Dwaas die ik ben, dacht ze.

Want naar haar ervaring waren er maar een paar redenen om kwaad op iemand te zijn. Ofwel ze had Howard beledigd, wat niet het geval was, of hij was jaloers op haar, waar hij geen reden toe had – Howard nu met het huis, de macht, de zeggenschap. Waardoor één mogelijkheid overbleef, en dat was dat hij kwaad was omdat hij haar iets had misdaan.

Weer zo'n menselijke paradox, dacht ze. Die zat kruislings en krankzinnig in elkaar. Je kwetst iemand en dan moet je kwaad op hem worden omdat je het niet goed tussen jullie kunt laten zijn omdat het niet goed is omdat je hem gekwetst hebt. Wat had Howard haar in godsnaam misdaan?

Iets.

De hongerige herten staarden haar aan vanaf de rand van het licht, te schichtig om te grazen, te hongerig om te vluchten. Ze dacht met een plotseling verlangen aan Dorris MacKintyre met zijn zuurstoffles, een doodgewone oude knar die met niemand plannen had. Pijn had hem gelouterd, dacht ze. Misschien zou dat haar ook helpen. Hij was niet beter begonnen dan wie ook, dacht ze – dat zag je soms aan het gezicht van zijn dochter, een opflakkering van angst, een laatste greintje onwil tot volledig vertrouwen na al die jaren nog. En toch was de Dorris die zij kende beter dan wie ook, licht en helder en bereid het geringste excuus aan te grijpen om blij te zijn. Pijn had hem glanzend gepolijst.

Mij niet, dacht ze. De drek en de rotzooi, de oude troep bij haar vanbinnen, dronken, nuchter, triest, boos, liefdevol en liefdeloos, eenzaam. Laat Howard zakken, dacht ze, laat hem in de stront zakken. En de rest ook, iedereen behalve Layla. Ze lachte zichzelf uit, een klein en dom iemand, thuisloos. Al die grote plannen met haarzelf en wat nu? Ze kon met geen mogelijkheid terug naar binnen, niet terug in Howards hoofd. En ze kon nergens anders heen dan naar het appartementje boven de garage, dat in theorie van haar was maar voelde als een openbare ruimte, een wachtkamer.

*Salle d'attente*. Waar dan ook, maar niet hier. Ze wilde alleen zijn onder onbekenden in plaats van alleen thuis, omringd met goede koffie en vreemde auto's, harde klinkers, amandelbroodjes.

Ze stapte naar binnen, het logeerappartement in, en werd op slag weer dronken in de warmte. Alle inwendige structuren van haar brein veranderden in gelatine en ze schonk een glas water voor zichzelf in en loste als gelatine op in het water. Dat verlangen – gewoon schoon te willen zijn. De rivier riep haar. Water dat onder het ijs stroomde, de waterspreeuwtjes die helemaal over de bodem liepen. Ze haalden altijd de overkant, hoewel, dacht ze, waarschijnlijk niet altijd. Eén misrekening en ze zouden boven komen waar het ijs een dikke plak was en verdrinken terwijl ze erdoorheen probeerden te komen. Klein doodgevroren vogeltje onder het ijs, het treurigste in de hele wijde wereld.

De dampende rivier in de koude nachtlucht. Gewoon schoon.

Toen begon Howard op de deur te bonzen: Ben je daar? schreeuwde hij. Waar zat je nou?

Beng, beng, beng.

Beng, beng, beng.

Ik ben hier, zei ze.

Laat me erin, zei hij.

Ik dacht het niet.

Waarom niet? Wat is er aan de hand?

Niks, zei ze. Ik ben dronken, het is laat, ik wil gewoon naar bed. Jij bent ook dronken.

Hij probeerde de deur nog eens en die was nog steeds op slot. Ze had het gevoel dat ze bang zou moeten zijn, maar ze was het niet. Ze was bang, maar op een bijna aangename manier, alsof ze vol leven was, buiten in de koude nacht met de herten meevluchtte. Ze was dood voor de wereld buiten haarzelf en die wereld was dood voor haar, dat zag ze nu in. Dat was het probleem. Ze liep naar haar tas en haalde haar sleutelring eruit waaraan een klein busje pepperspray hing. Er stond in grote rode letters op dat het uitsluitend gebruikt mocht worden tegen wilde dieren en het bij wet verboden was dit product aan te wenden op een wijze die strijdig was met de gebruiksaanwijzing.

Howard, zei ze door de deur. Howard, luister je?

Hij zei niets maar probeerde opnieuw de deur, die nog stevig op slot was.

Howard, ik ga naar bed, zei ze. Ik ga slapen. We kunnen morgen praten

Ik weet niet wat ik verkeerd heb gedaan.

Wat je verkeerd doet is dat je midden in de nacht probeert mijn deur in te beuken, zei June. Ze voelde zich heerlijk en helder en kalm.

Daarnet was er nog niks aan de hand, zei hij.

Ja, je hebt gelijk, je hebt absoluut gelijk. En nu is het bedtijd.

Howard probeerde nog eens halfslachtig de deur. June dacht: Ik tier en ik raas en ik blaas je huisje omver. Toen hoorde ze zijn voetstappen op de trap naar beneden. Welterusten, Howard, dacht ze bij zichzelf. Welterusten en vaarwel.

En hij was weg en zij was alleen.

*

*Rond de bar in het zwembad* stond een driedubbele rij mormonenmeisjes tomatensap, ijsthee en kokosdrank te bestellen. Nou, niet echt meisjes – waarschijnlijk eind twintig, begin dertig, en allemaal hadden ze het over hun kinderen – maar ze waren allemaal slank en knap als corpsstudentes en droegen tweedelige badpakken, in sommige gevallen absurd kleine, en ze produceerden hetzelfde hoge vogelgekwetter als corpsstudentes in groepsverband. RL zat als honderdvijftig kilo bedorven vlees half onder water op een barkruk. Midden tussen de mormonenmeisjes. Hij vermaakte zich wel.

Betsy lag op haar buik aan de rand van het zwembad in de levendige schaduw van de palmbladeren, rusteloos in de wind. Ze was van hoed tot aquasocks in katoen en nylon gehuld, op haar gezicht en vingers na was geen centimeter huid onbedekt. De rest van haar handen zaten in vleeskleurige vingerloze handschoenen die RL ongelofelijk griezelig vond.

Betsy voelde zich, in haar woorden, *afgebrand* in het vliegtuig heen, had zich de afgelopen nacht in slaap gehuild en was somber en als een geest wakker geworden. Tijdens het ontbijt was het alsof ze telkens iets bijna wou zeggen, op het puntje van haar tong had, maar ze had niets gezegd. Dit reisje was dus een vergissing. Ze was niet op te monteren of uit haar eenzelvigheid te praten. RL maakte al plannen voor zijn eigen week: de ene dag drinken, de volgende vissen, misschien een snorkelexpeditie.

De mormonenmeisjes waren versiering. RL begreep dat de gave huid en inkijk en orthodontie bedoeld waren voor de echtgenoten in hun leven: dat ze, hoe ze ook straalden en lachten, in geen enkel opzicht in waren voor een avontuurtje. RL wist eigenlijk niet of hij zelf wel in was voor een avontuurtje. Maar die meiden zagen er allemaal uit alsof ze af en toe een lekkere stevige heteroseksuele wip maakten, een paar ongecompliceerde minuten in de missionarishouding, misschien een vluggertje onder de douche terwijl de baby sliep... RL voelde een acute heimwee naar die tijd van huiselijke liefde, zonder enige exotiek, zonder drama of gevaar. Het was alweer een tijd geleden. En het zag ernaar uit dat het nog een tijd zo zou blijven. Het was zijn eigen schuld, dik en droevig uitgezakt op een barkruk in een nat hemd, een vishemd met veel, heel veel zakken en lussen – welke weldenkende meid zou met hem willen neuken? Maar hij vroeg zich ook af of het niet gewoon een symptoom van zijn leeftijd was, dat gevoel dat ieder ander op de wereld seks had, iedereen, behalve hij. Zelfs June had seks, daar was hij bijna zeker van. June met haar gezonde schoenen en praktische kapsel.

Toen hij weer naar Betsy keek, keek ze naar hem terug, althans, ze hield haar grote zwarte zonnebril op hem gericht. De wind liet de palmbladeren boven hem ritselen, het zonnescherm klapperen, en in een lege hemel trok een vliegtuig een condensstreep. Een vleug volstrekte eenzaamheid in het harde zonlicht. De mormonenmeisjes hadden het over welk soort beddengoed ze het fijnst vonden en hoe armoedig en kriebelig de Mexicaanse lakens waren.

Hij had inmiddels een aantal van die dingen helder moeten hebben. Maar alles leek zo onsamenhangend, niet bereid of in staat zich te verklaren. Het leven is een rijk banket, een overvloed aan zilver en stront, sinaasappels en auto-onderdelen, een Franse encyclopedie onder een gouden kelk vol tanden. Geen samenhang. De mormonenmeisjes in hun kleine baarmoeder van geld en schoonheid wisten niet eens dat ze in die baarmoeder zaten terwijl Mexicaanse meisjes achter in het restaurant de borden wasten en vrouwen elders zonder klacht bij hun bevalling stierven. Dit allemaal in een ogenblik van wazigheid. Zijn eigen leven had hij besteed aan banaliteiten, afgezien van zijn dochter. Nu zat hij hier, op een plek waar hij niet hoorde, met een vrouw die hij niet kende.

Ze wachtte op hem.

Ze wachtte nog maar even. Dat redde ze wel.

Maar dat wou ze niet.

Ik drink van mijn leven niet meer, zei ze. Ze leek het koud te hebben in het water, wat niet kon, het water was op lichaamstemperatuur en de lucht was drukkend warm. Ergens vanbinnen had ze het altijd koud.

RL schoof zijn pina colada haar kant op. Tegen zonsondergang ben je er weer overheen, zei hij. Zo gaat het bij mij altijd.

Ik ben jou niet, zei Betsy. Ik heb het gevoel dat ik ga vallen.

Misschien moet je een dutje doen.

Breng me even naar de kamer, zei ze. Wil je?

Ze had een eigenschap, was hem al eerder opgevallen, dat als ze tegen hem sprak, iedereen en alles wegviel: alleen nog zij tweeën en een waas daarbuiten. Haar energieveld.

Laat me dit even opdrinken, zei hij, en nam een slokje.

Haast je niet, zei ze gespannen.

De mormonenmeisjes waren stil gevallen toen ze naderbij kwam en begonnen nu weer te kwebbelen, maakten wat ruimte, pratend over of het veilig was om de waterijsjes te eten die op straat werden verkocht. De donkerharige in de minieme paarse bikini, het enige bijzondere gezicht, had de vorige keer dat ze hier waren een garnalenspiesje geprobeerd en er drie dagen voor moeten boeten. Ze lachten bij het weggaan en namen hun gelach met zich mee. Betsy legde haar hand op RL's rug en door de natte stof van zijn hemd heen voelde hij haar kou in zich trekken.

Ik moet hier weg, zei ze, en toen hij in haar grauwe gezichtje keek zag hij dat ze zich niet aanstelde. Hij zette zijn drankje neer, liet de seks en de zon voor wat ze waren, hielp haar de wonderlijke trap op en het schemerdonker van haar kamer in.

Betsy ging op de rand van haar bed zitten en zei: Niet weggaan.

Het bed was nog onopgemaakt van de afgelopen nacht, op het nachtkastje stond een glas water, een massa pillenflesjes.

Ik heb het gevoel dat ik dit had kunnen voorzien. Als ik wat beter had nagedacht.

Je hoeft nergens over in te zitten, zei RL.

Dat hele eind, en al dat geld.

Ik heb het geld, zei RL. Dat heb ik je gezegd. Het was gewoon iets wat ik zelf wilde. Jij hoeft nergens over in te zitten. Doe een dutje, daarna gaan we zwemmen, een tijdje op het strand liggen. Gewoon iets waar jij van kan genieten.

Ik zit niet eens meer in mijn lijf, zei ze. Het is alsof ik er niet eens meer contact mee heb.

Dat is ook aan je te zien.

Het is net het vagevuur, zei Betsy. Of ik al in het vagevuur zit.

Doe even een dutje, zei hij. Straks voel je je beter.

Ik heb ze gedag gezegd, zei Betsy.

RL voelde weer de rilling, een kille tocht in een warme kamer. Hij ging naar het raam en daar lag de Grote Oceaan, blauw als een oog, zich uitstrekkend tot aan de nevel onder een paar witte, doelloze wolken.

Wie heb je gedag gezegd?

Roy, zei ze. Roy en Ann en Adam. Ik heb eigenlijk niks tegen de kinderen gezegd.

Wat heb je Roy verteld?

Hetzelfde als wat de oncoloog mij vertelde. Die laatste kuur, die heeft gewerkt maar niet voldoende. Hij zei dat het de genadeklap voor het gezwel had moeten zijn maar dat het niet helemaal gelukt was. Toen gaf hij me wat levensadvies. Het ging allemaal nogal ingetogen. Ik was heel kalm, ik was trots op mezelf.

Ik dacht dat je pas na de vakantie weer zou gaan, zei RL. Waren dit de scans?

O, zei ze, vergissing.

Wat voor vergissing?

Ik zou erheen gaan, het groene licht krijgen, zei ze. Mijn mentale instelling was zo positief! Ik was ervan overtuigd dat hij me zou vertellen dat alles goed was. Ik was er heilig van overtuigd. En daarna, ja, hiernaartoe met jou, een beetje de bloemetjes buiten zetten. Het is lang geleden dat ik echt kon lachen. Ik weet dat jij dat voor me wilde.

Het spijt me, zei hij.

Waarom zou het je spijten? Je probeert iets aardigs te doen en dat waardeer ik.

Ik wilde iets anders voor je.

O, zei ze. Ikzelf niet minder.

Er viel kennelijk niets meer te zeggen. Hij zweefde tussen het bed en het raam, onzeker, zonder anker. Buiten was verblindende zon, maar hier in het schemerdonker was haar gezicht een waas. Een hoop gedoe voor zo'n beetje lol, dacht hij. Jouw applaus is het enige loon dat cowboy vandaag zal innen.

Kom, zei ze bruusk. Zitten.

Ze klopte naast zich op het bed waar ze lag. RL kwam met tegenzin. Hij wist niet waar hij was, waar hij zou moeten zijn.

Zeg me wat je wilt, zei ze.

Dat weet je.

Ja, zei ze. Maar het is te laat.

*

*In deze droom was er* een baby maar er was iets mis mee – je kon niet zien of het een echte baby was – het was net een rubberen baby die blaatte als ze erin kneep maar het was ook een echte baby, en het was haar baby, zíj moest ervoor zorgen en dat probeerde Layla: ze voedde en verschoonde hem, ook al zat er niets in de luier dan een glad vleeskleurig hoopje niks zoals bij Barbie of Ken; en toen ze de baby tegen haar borst hield om hem te troosten, deed hij zijn mond open en kwam er het geluid uit van een elektrische bel, indringend als een brand-oefening. Het was Edgars baby, opeens wist ze het. Het was de deurbel.

Het was de deurbel om vijf uur in de ochtend en voor de deur stond June. Met koffer.

*

*In het halflicht van de middag* lag haar lichaam mat en bevallig op het verfrommelde laken. De kamer was warm en klam, zonlicht kroop door de dikke gordijnen en de open ramen. Het zou kunnen dat ze sliep.

RL zat tegen de kussens, had niets te doen. Hij zou graag een sigaar opsteken, maar daar zou ze last van hebben. Bovendien waren de sigaren op zijn eigen kamer, een deur verder, samen met de gin. En het was nog geen drie uur. O zeker, hij was op vakantie, maar er waren grenzen. Misschien.

Ze droeg een zwart topje en een bh, verder niets. In de bh een nepborst en een echte. RL wist niet welke wat was.

Ze sliep, het soort slaap dat leek op een val in een put, haar ademhaling was diep en traag, en stokte ergens.

Hij voelde zich anders dan hij dacht dat hij zich zou voelen.

Hij begreep de zin van Mexico niet meer.

Ze zag er mooi uit. Werkelijk. Lang en slank. De kooi van

haar heupbotten. Haar zo rood en ruw verweerde huid werd verzacht door het licht, door het licht geparfumeerde zweet op haar. In haar slaap maakte ze zich nog zorgen – dat zag hij aan haar gezicht – maar weggglijdend, vallend in het niets.

Wilde ze dat wel?

Ze had parfum op. Dat was niets voor haar. Hij had het niet eerder opgemerkt, althans zijn voorhoofdskwabben hadden het niet opgemerkt. Ergens achter in het reptielenbrein kende hij haar, ving hij de wilde geur op van iets zoets en vruchtbaars. Hij vroeg zich soms af hoeveel van zijn leven het zijne was en hoeveel er instinct of reuk was, wat hij hetzelfde vond. Ze had iets wat hij wilde hebben. Hij hoefde niet eens te weten waarom. Ze had iets wat hem niet wilde. Niet genoeg.

Hij dacht aan haar kinderen, gezichten in de regen.

Hij dacht aan Thailand: aan wat ze had gezegd over het toelaten van de kiem, het begin van iets dat pas later vorm aanneemt. Misschien liet hij de ziekte in zichzelf toe. Misschien stelde hij zich ervoor open. Het virus.

Misschien zou hij nog meemaken dat het iets deed.

Ieder zijn eigen vergif.

O, dacht hij, o. Er raakte iets los. RL voelde het van zich afvallen zonder te weten wat het was.

Hij liet haar toen alleen, liet haar slapen, voor even maar, sloop geruisloos als een inbreker in zijn dikkemannenshort en hemd vol zakken – belachelijke man, hij wist het – over de koele tegelvloer de gang op naar de andere kamer, waar hij voor zichzelf een glas gin met ijs inschonk en weer een Cubaanse Romeo y Julieta tevoorschijn haalde. Toegeven, laten gaan. Wat was het? Hij voelde zich vreemd.

Buiten op het balkon, de blauwe blauwe zee.

Nooit kruis of munt, dacht RL. Hij stak de grote sigaar aan en keek naar de kinderen in de branding. De lucht was warm en stil en het water maar net koel genoeg, zodat er geen reden was om eruit te gaan, de golven laag en speels, verraste gilletjes van kleine meisjes als het water hen van achteren inhaalde, met hun rug naar de diepblauwe zee en hun ogen op hun mammies gericht... Hij voelde zich – wat? – licht, de dansende beer.

O, droevige, eenzame dansende beer. O, eenzame ik, dacht hij.

Maar zo voelde het niet. Hij voelde zich eigenlijk best lekker. Vreemd licht en luchtig. Ongebonden. Hij had zijn verleden, die geschiedenis, zij had hem ooit de bons gegeven en zijn hart gebroken, hij had ervoor gekozen om in de vallei te blijven in plaats van zich met de grote wereld te meten, er waren fouten begaan, ingangen en uitgangen opgeblazen, maar zelfs dat was niet louter droefenis en ellende. Hij was uit het verleden tevoorschijn gekomen met die prachtige dochter, met de oktoberochtenden en ijsvogels en de zwaarte, de verrassing van een grote vis aan de haak. En, ja, misschien was ze binnenkort dood. De dood wachtte hun allemaal. Maar dat was nog geen excuus om niet te leven.

Tussen verleden en toekomst zat hij te roken, levend en wel. Echte Cubanen, dacht RL. Precies zo goed als ze zeggen.

Dank u, God van het niets. Niet wie hij vroeger was, niet wie hij zou kunnen worden, geen miljoen dollar, geen ruzies bijleggen. Zijn moeder was nog steeds dood en hij zou haar nooit vertellen hoeveel hij van haar hield en hij zou nooit naar de Olympische Spelen gaan en degene die zulke dingen wilde was hij nu even niet. Hij wilde niet rijk of knap zijn. Zelfs Layla, zo mooi als ze was, wist hij daar ergens, en voor één keer kon hij gerust zijn in het besef dat wat hem ook wachtte daar ergens was, en wachtte.

RL had het gevoel dat hij aan iets raakte. De stroom die voorbijtrok en hij die het liet gebeuren. Erin dreef.

Iets.

Hij had gedacht dat hij iets zou oplossen door met haar te slapen. Dat begreep hij nu. Hij had gedacht dat hij iets goed zou maken of op zijn minst weer bespreekbaar, maar het verleden bleef precies waar het was, onveranderd, met al die oude opwellingen en excuses, misverstane woorden en verkeerde stiltes... Het deed er nu niet toe. Hij was nu hier en het was allemaal goed. Er zou een toekomst zijn, dat had hij begrepen, en er zou iets in gebeuren. Maar niet nu.

Nu zat hij op het betegelde balkon zijn grote sigaar te roken, te kijken hoe de rook de stille middaglucht in zweefde. Beneden, de oceaan en het geluid van de wind in de palmen, een rusteloze middagbries. Nu zou het altijd vier uur zijn. Nu een ongekende rust. Nu de aanraking, het slokje, de zeebries op zijn huid. Nu de zeeman, thuisgekomen van zee. Een rusteloze rust, hier. Nu.

*

*Goed, zei Layla.* Wat nu?

June keek haar alleen maar aan, terwijl alle gedachten haar hoofd ontvlogen. Ze voelde niets dan chaos vanbinnen en opeens huilde ze, dacht ze aan Taylor, aan de lege baarmoeder die ze nog in haar buik droeg. Ze hadden het geprobeerd en geprobeerd. Nu dit...

Layla zag de tranen en wilde haar troosten, maar ze was geen troost, ze huilde zelf.

Het spijt me, zei June. Het spijt me zo.

Waarvoor? Hou op.

Godverdegodver, zei June.

Layla hield haar op armlengte afstand en lachte door haar tranen heen.

Hoor je wat je zegt?

Godver, zei June.

Nu lachten ze allebei en tranen en snot dropen in elkaars truien en het was gewoon stompzinnig. Maar wel goed. Het voelde goed voor June om Layla daar in de keuken vast te houden. June bedoelde het als simpele troost, maar ze was zelf gecompliceerd, kon niet ophouden zichzelf te zijn, de onvruchtbare... Nu dit meisje, een ongelukje, een kind.

Wat moet ik doen? vroeg Layla. Zeg het eens.

Nee, zei June. Niemand kan het je zeggen.

Maar ik weet niet wat ik moet doen.

En alle anderen weten het, iedereen heeft wel een mening. Ik bedoel, ik ook. Want voor mij is het makkelijk kiezen. Voor jou is het moeilijker.

Ik heb het nog aan niemand anders verteld.

Niemand?

Helemaal niemand. Alleen aan jou.

Niet...?

Niemand behalve aan jou.

O, zei June.

Ik weet het.

June stond op, legde haar hand op het aanrecht, keek uit

het raam, tikte op een koffiekopje dat vuil naast de gootsteen stond. Ze voelde zich een actrice op een toneel die iets zocht om haar verwarring en verdriet mee uit te beelden. Wat zou zo iemand doen? Een hoop getril en gejammer. Een hoop Sarah Bernardt. Red me!

Wat zullen we doen? vroeg ze. Wat zullen we doen?

Laten we ergens gaan ontbijten, zei Layla.

June dacht er een lang ogenblik over na. Toen zei ze: Ik zie niet in hoe dat iets oplost.

Dat verwacht ik ook niet, zei Layla. Geen seconde. Maar ik ben toe aan een paar flensjes.

Heel goed, zei June.

Wat eieren met patat.

Ruby's of het chauffeurscafé?

Hé, we laten de hele boel barsten. We nemen de pick-up, gaan naar het chauffeurscafé en daarna een eind rondrijden, is dat wat? Bijvoorbeeld naar het bizonreservaat, wat buffels kijken. Wat drank mee voor onderweg.

Kattenkwaad, zei June.

Wat?

Geen drank, zei June. Niet nu je...

Eentje kan geen kwaad.

Het is halftien in de ochtend.

Ik heb het niet over nu. Ik heb het over straks. Misschien kunnen we naar Hot Springs gaan, naar het kuurhotel. Ik kan een opwarmertje best gebruiken.

We zien wel, zei June.

Eentje kan helemaal geen kwaad.

We zien wel, zei June.

*

*Ze heette April,* hij wist het bijna zeker, en hij kende haar van dat feest in Madrona – hij herinnerde zich het huis, de Richie Rich club, een stel Californische jongens met een jacuzzi met uitzicht op Lake Washington... en ze waren op een of andere manier weer thuisgekomen, en nu sliep ze de slaap van de zombies, maar net niet snurkend, met haar oogmake-up, zware oogmake-up, uitgelopen over Daniels mooie kussensloop. Zondagochtend, laag invallend licht. Het werd tijd om zijn leven om te gooien.

*

*Het punt is,* zei Layla, ik weet dat dit slecht nieuws moet zijn en zo. Ik weet dat het moeilijkheden betekent. Maar ergens, diep in mijn lijf, ergens ben ik blij. Mijn lijf is er verschrikkelijk gelukkig mee. Begrijp je?

Nee, zei June.

Neem me niet kwalijk.

Nee, zei June, zo bedoelde ik het niet.

Ze reden in RL's grote pick-up, Layla achter het stuur, door het reservaat over een opgelapte tweebaansweg met diepe rijsporen. Een mengeling van donkere en stralend blauwe winterluchten joeg over hen heen, kans op zon, kans op sneeuw. Een zwart-witte koe in een wei, een roestende trekker, een eenzame pijnboom met zijn schaduw afgetekend in ijs. Geen andere auto te zien, en het enige huis in een verre uithoek van het hooiland, stond knus beschut tegen de wind tussen ceders onder aan een heuvel. Ze boften, zij waren de enigen die het zagen, al die doordeweekse schoonheid.

Gek, zei June, hoe vaak je min of meer krijgt wat je krijgt.

Layla barstte in lachen uit. Ze zei: Wat bedoel je in godsnaam?

June dook op uit haar gedachten, een beetje verbaasd over zichzelf.

Sorry, zei ze. Gewoon het staartje van een lang gesprek met mijn hersens.

En wat had je jezelf te zeggen?

Nou, ik was aan het denken.

Waarover?

O, ik wil je niet onder druk zetten of zoiets. Maar ik dacht aan jou, wat je zou moeten doen, of ik moest proberen je iets aan te raden. Ik bedoel daar niets mee, alleen... kan ik iets doen om te helpen?

Ja, ik snap het.

Mooi, zei June. En verder vroeg ik me af hoeveel van mijn leven bestaat uit iets najagen en het dan krijgen, en daarna hoe vaak er gewoon iets gebeurt wat je maar hebt te nemen.

Dus je vindt dat ik de baby moet houden.

Dat zei ik niet.

Dus je vindt niet dat ik de baby moet houden.

Dat zei ik ook niet. Denk je dat het een kind is?

Wat?

Je ziet het als een kind en niet als een ding ergens binnen in je. Een soort gezwel.

Nee, het is absoluut een kind. Gisternacht had ik een droom waarin ik haar gezicht kon zien. Ik heb de laatste tijd waanzinnig ingewikkelde dromen.

Nou, zei June. Dat is tenminste iets.

Wat voor iets?

Weet ik niet.

Nee, zeg het nou.

June wachtte terwijl ze een lange glooiende heuvel af reden naar de andere weg die vanuit het rivierdal kwam, grijze velden en zwarte kraaien onder een hemel die plotseling bedekt was met donkere wolken. Kraaien cirkelden boven de weg. Het leek een dag waarop geen peil te trekken was, heel het normale leven opgeschort. June grabbelde in de koelbox achter de stoel, viste er een koud, druipend blikje bier uit en maakte het open. Layla had de box ingepakt, maar niet voor zichzelf.

Ik denk dat je een kind gaat krijgen, zei June, dat is wat ik denk.

O, ik ook, zei Layla. Een meisje.

Het hoeft het niet.

O, jawel, zei Layla. Dat andere, dat is prima voor anderen, weet je? Ik veroordeel het helemaal niet of zo. Maar ik heb erover nagedacht en ik denk gewoon dat het niets voor mij is.

Abortus, bedoel je, zei June. Ze had plotseling genoeg van die romantische mist, dat vage gepraat. Je wilt het kind houden.

Ik weet niet wat ik ermee aan moet, zei Layla.

Maar je wilt het laten komen.

Absoluut, zei Layla. Ze griste het bier uit Junes hand en nam een slokje en het begon te sneeuwen, een korte felle bui. Layla zette de ruitenwissers aan en duwde haar neus dicht op de voorruit om de weg te zien, een plotselinge *white-out*, de zware pick-up zweefde even door de ruimte. June keek in doodsangst toe.

Ze reden erdoorheen, op een of andere manier nog op de rijbaan. De weg en alle velden eromheen wit.

Layla gaf het blikje bier terug. June was het vergeten. Layla reed door, langzamer dan daarvoor.

Ik weet niet wat je van me vindt, zei Layla, beide ogen op de weg, voorzichtig. Ik bedoel, ik weet dat je een vriendin bent, enzovoort. Maar dit is gewoon iets wat ik moet doen, snap je? Ik weet dat het nergens op slaat. Ik weet wat het meest praktische is.

Je hebt gelijk, zei June. Ik bedoel, ik weet dat je gelijk hebt.

Ik ben alleen geen praktisch iemand, denk ik.

Ik ook niet, zei June. Wie wel? We doen allemaal maar alsof.

Succes ermee, zei Layla.

O, verdomme, zei June. Je praat erover alsof het iets abstracts is, alsof het over een gevoel van je gaat. Weet je eigenlijk wel wat er met je gebeurt? Ik heb het gevoel dat ik naar een kind kijk dat langs de snelweg loopt, dat je elk moment zo onder een vrachtwagen kunt lopen.

Layla zei niets, reed alleen. Bij de eerstvolgende vluchtstrook zette ze de pick-up aan de kant, trok de handrem aan, staarde door de voorruit naar buiten.

Ik wist niet dat je zo dacht, zei ze.

Het gaat wel over, zei June.

Nee, zei Layla. Het is goed om te weten hoe iemand denkt. Misschien kunnen we beter teruggaan.

Wil je niet naar de zwavelbaden?

Vandaag niet, zei het meisje. Het kan mijn baby kwaad doen. Ik wil *het kind* geen kwaad doen.

O, verdomme, zei June.

*

*Daar staat het glas,* dacht RL toen hij wakker werd. Alle countrysongs werden in één klap waar: in Mexico met een kater en een vrouw die misschien van hem hield, misschien ook niet, en verblindend licht door de hoge ramen. Het enige wat eraan ontbrak was misschien een hond.

Maar ze was er niet. Lag niet naast hem.

Waarom niet? Hij zocht in zijn herinneringen naar de avond ervoor, vond alleen flinters en momenten, iets over een ruzie, of misschien was het alleen weer RL's schuldgevoel. Hij vroeg zich af of hij haar weg had gejaagd. Dat zou best kunnen. Hij was niet erg vriendelijk of sympathiek en hij maakte fouten, vooral wanneer hij had gedronken. Hij had een vreemd gevoel over haar. Misschien had hij zich ook vreemd gedragen.

Een gigantische zinloosheid overviel hem, alleen op een hotelkamer ver van huis en het had allemaal niet gehoeven.

Hij ging naar het raam, keek het felle zonlicht in en daar was ze: Betsy in Maya-rok met zonnehoed die de hoek bij het zwembad omsloeg. Het had in feite iedereen kunnen zijn maar zij was het, hij wist het, alleen al door de geweven tas die ze droeg, het meisje dat altijd van huis leek weg te lopen. Wat zat erin? Een fles water, zonnecrème, muggenspray, een rode bandana en een boek over spiritualiteit of vegetarisme. Een ligmat. Een manuscript van een roman.

Maar waar ging ze heen? Het was pas acht uur, vroeg voor een zondagmorgen. In ieder geval vroeg voor de Engelssprekenden. De donkere zwembadjongens in hun witte shirts waren al druk bezig met schrobben in het diepe stille blauw van het zwembad. De tafels stonden gedekt, de bloemen in hun vazen. Betsy was de enige toerist die zich bewoog, wat gefladder van kleur om de hoek van het gebouw en weg. RL wist dat hij haar achterna moest, al wist hij niet waarom. Hij schoot zijn toeristenkleren aan, zijn supersandalen en slobbershort en vispet met lange klep, waarmee hij er ontzettend dom uitzag. Waar ging ze heen? Of: waar ging ze zonder hem heen? Hij haastte zich de buitentrap af in het besef dat hij al een straat of twee op haar achter lag.

Slaperige zondagochtend, het kleppen van de kerkklokken in het dorp anderhalve kilometer verder. Het klonk blikkerig. De oceaan lag er onbenut en onbemind bij achter het betonnen bassin, de tegels en terrassen. Hij had haar landinwaarts zien gaan, dus die kant ging hij op, uit de zeewind vandaan, en terwijl hij het stille zonlicht in liep werd de morgen warmer. De wind stierf samen met de zeegeur weg en de stank van broeiend afval kwam er voor in de plaats. Aan de overkant van de brede boulevard met zijn middenberm van palmen, kwam hij in een gemêleerde, verwarde buurt met aftandse pick-ups, roest en dierenbotten terecht. Het zag eruit alsof daar gewerkt werd, maar wat voor werk was moeilijk te zeggen, iets geestdodends of smerigs. Hij volgde een strook rode klei tussen twee betonnen stoepranden, met aan de andere kant meer van hetzelfde soort rode klei, dat ergens op wachtte. Het leek half afgemaakt, halverwege de klus verlaten, die hele omgeving. In de verte meende hij haar in een laantje met lichtgroene hagen te zien verdwijnen, een zwier van een kleurige rok en weer weg.

Dichtbij bleek de haag aan elke tak glanzend blad en levensgevaarlijke, lange scherpe doorns te hebben. Hij schramde er zijn arm aan en het bloed droop ervan af. Het bloeden deerde RL niet.

Achter de omheining lag nog zo'n tussengebied, half Mexicaans gezien de gemetselde huizen en pannendaken, maar Amerikaans gezien het decor van Chevy Suburbans en veranda's. Een oude man in een wit T-shirt en met een cowboyhoed op was zijn grindtuin met Roundup aan het bespuiten.

*Welke kant?* begon RL te vragen, maar de oude man schudde slechts zijn hoofd en wees met zijn fles onkruidverdelger naar het eind van het laantje. Ging door met zijn werk. Dit zou geen gesprek worden. Voorbij het volgende groene laantje lag een soort buurtzwembad, verlaten. Het groene, drabbige water stond een halve meter onder de rand, als een permanente smet. Verderop weer een grindpad met baksteenranden en bespikkeld met breed, tierig onkruid. De bladeren groeiden dicht bij de grond, dof donkergroene, leerachtige dingen met wit gepunte randen. Ze leefden, verder maakte het ze niet uit. Iets aan dat onkruid boezemde hem weerzin in. Hij begreep de oude man met die hoed en dat gif, zijn drang om het van de aardbodem weg te vagen. Zulke onbeschaamde levenskracht

Het einde van het grindpad was eenvoudigweg een einde: het leidde nergens heen, behalve naar dode konijnen, cactussen en auto-onderdelen. Hij zag haar rok, een meter of honderd verder, blauw met oranje en gele strepen. Ochtendzon, maar hij voelde die door de stof van zijn pet heen, aanhoudend, meedogenloos. Maar zo'n stukje het binnenland in en het was alsof de oceaan niet bestond, geen teken of geur te bekennen, de rode aarde gebakken tot harde hopen en dingen die leken op braakballen, verdroogd tot bultige kokers. Een half afgebouwd huis van gasbetonblokken. Een Monte Carlo op blokken. RL dacht aan de badplaatsen met hun wapperende witte vlaggen en hun blauwe water en ritselende palmen en wist dat het onecht was, een voor toeristen opgezette show. Maar dit voelde geen zier echter, skeletachtig, onaf... net Disneyland achter de coulissen, waar hij een keer met de drumband van zijn middelbare school was geweest, de smerigheid, vettigheid en hopen vuilnis, de stripkonijnen die zwetend rondliepen met hun grote koppen onder hun arm...

Hij was er praktisch zeker van dat zij het was. Een veeg felle beweging.

De zon vlakte het allemaal af tot een overbelichte foto: woestijn, lucht, puntige doornplanten met rode bloemvlaggen in top. Hard land, alkali-wit. Hier kon je doodgaan. Hij had het gevoel dat ze de bekende wereld verlieten, de laatste halflege straat, Tecateblikje, hoop bouwafval, vergeten grasmaaier. Een simpel, schel en warm hier. Hij verloor haar uit het oog tussen de creosootstruiken maar ontdekte toen weer haar fleurige rok. Ze had niet één keer achterom gekeken. Hij had niet één keer geroepen.

RL keek na een paar minuten achter zich en zag: niets, alleen diezelfde open woestijn en felle zon. Hij vroeg zich af of ze verdwaald waren.

Betsy bleef een kilometer of drie doorlopen.

Je kon hier doodgaan, dacht RL, zonder dat iemand het zou weten. Misschien zouden ze de gieren zien en een kijkje gaan nemen. Nog geen tien uur in de ochtend en alle woestijndieren sliepen in hun holen, in de koele diepe aarde of in de schaduw diep onder een rotshoop. Hier waar hij niets te zoeken had. Totaal geen recht van spreken had.

Hij realiseerde zich opeens dat hij haar al een paar minuten niet had gezien. Betsy was uit het zicht verdwenen. RL bleef staan en richtte zijn blik op de plek waar hij haar, als hij zich niet vergiste, voor het laatst had gezien, maar daar was niets. Misschien zat hij fout, een beetje naar links of naar rechts. Misschien had ze halt gehouden zonder dat hij het had gemerkt. Misschien had RL haar op een of andere manier ingehaald, of misschien was ze zelfs achter hem, was hij langs haar geglipt, de verkeerde kant ingeslagen.

Toen hij omkeek was er niets – lege woestijn en zon.

Tegen de tijd dat hij zijn blik over de hele woestijn had laten gaan, was hij verdwaald. Welke kant was wat? Aan de horizon rees een platte, muisgrijze heuvel op, maar die had hij eerder niet gezien en hij had geen idee of die in het noorden, zuiden, aan de oceaan- of de landzijde lag. Hij wenste hartgrondig dat hij wat beter had opgelet.

Hij had niets bij zich wat hem kon helpen: geen water, geen parasol, geen mobieltje.

Schoongebrand worden door de zon. Dat was wat ze wilde, begreep hij nu. de nabijheid en de schittering van de dood, het vlakke witte licht. Verloren zijn, loslaten. Hij begreep water, hoe het werkte en hoe het liep. Deze plek zei hem niets. Hij stond daar in zijn belachelijke kleren, zijn nylon en polyester, zijn klepjes en gespjes, en begreep hoe weinig die hem nu zouden helpen. Geluk zou helpen. Geluk en misschien een helpende hand. Zondagochtend. Hij stond alleen in de aanloeiende zon en dacht: ik zou dit kunnen doen, ik zou dat kunnen doen. Geen enkele richting was beter dan enige andere.

Het was niet aan hem om over geluk te beslissen. Dat besef stortte op hem uit als licht, als genade. Het was niet meer aan hem om iets te doen of te beslissen.

Daar was ze op uit, begreep hij nu.

Hij trof haar knielend aan op een open plek met ronde grijze kiezels. Ze had haar ogen dicht en haar handen tegen elkaar gedrukt voor haar mond, zodat ze haar eigen adem inademde. Het moest pijn doen om op die grond te knielen. Ze moest cactusdoornen, stenen, geitenkoppen voelen. Ze moest lijden, dat was, stelde hij zich voor, waar het om ging. RL bleef staan, zei niets. Hij voelde een soort gouden licht van haar afkomen, niet zomaar een weerkaatsing van de zon, maar haar eigen licht, het was moeilijk te zeggen. Ze was op een of andere manier moeilijk te zien. Hij maakte zich op dat moment geen zorgen om zijn overleving, noch om die van haar. Er was iets anders aan de hand. Hij hoefde het niet te begrijpen. Toen hij beter kon zien in het felle, duizeligmakende licht, zag hij dat Betsy achter haar biddende handen – hij was er bijna zeker van – glimlachte.

Een warme droge wind blies door de creosoottakken en koetsierszwepen, en maakte een eenzaam geluid.

Ze glimlachte, hij wist het zeker. Ze had haar ogen nog stijf dicht. Niet de sociale glimlach, die voor anderen – niet de fotoglimlach – maar het inwendige geluk dat ze niet van haar gezicht kon houden. Meisje met een ijsje. Meisje met huisdier. Meisje verliefd. RL voelde bij zichzelf een resonerende blijdschap. Hij kon het niet verklaren. Hij probeerde het ook niet. Hij voelde haar als zonlicht.

Na een tijdje – later zou hij proberen na te gaan hoe lang en kon hij het met geen mogelijkheid zeggen – deed ze haar ogen open, maar ze had al die tijd geweten dat hij er was. Geen verrassing. Ze had hem verwacht.

Helemaal opgeknapt, zei ze.

*

*Krenken, denkt Howard.* Dronken en weer dronken en nog niet dronken.

Casino Lucky Strike, elf uur op een zaterdagochtend, de zevenentwintig televisies schetteren maar door over football en Howard denkt aan Robert Mitchum in een wit T-shirt, sigaret zonder filter in zijn mond, gekrenkt.

Zo doen mannen dat, denkt Howard. Incasseren. Je hoeft het niet leuk te vinden maar je moet het incasseren. Mitchum draaide ervoor de bak in. Het krenkende type. Hij heeft geprobeerd van haar te houden, verdomd waar! Maar zijn stijl beviel haar niet. Ze wilde een lulhannes van hem maken. Wilde dat Howard voor schurk speelde. Nou, allemaal best, nam hij aan, maar God had nog een hoop andere vrouwen geschapen, een hoop andere vissen in de zee. Toch was het een toppertje. Had ze maar geweten hoe een goeie man eruitzag. Ze zou er nog wel eens spijt van krijgen, maar dan was Howard allang pleite. Hij was niet van plan om te wachten tot het tot haar doordrong.

In de lange gang naar achteren, op weg naar de plee, kijkt Howard hoe het zonlicht op het vuile zeil valt en denkt hij aan een weiland in mei, een weiland met paarden en vrouwen.

Afzonderlijke stofdeeltjes zweven door het licht. Afzonderlijke stukjes vuil op de zwarte vloer.

Met gesloten ogen staat hij voor het urinoir en denkt aan lentezon, paarden die in hun lijf leven, voor hun plezier rennen, de pijlbladige balsamwortel in gele bloei. Howard zelf op een snel paard, in gestrekte draf naar de verre groene heuvels. De bergen erboven wit van de sneeuw.

Als hij zijn ogen opendoet en omlaag kijkt, ziet hij bloed in het urinoir. Hij doet zijn ogen weer dicht. Hij wil het niet zien. Een ander hoofdstuk.

*

*Amerikaans, mooi,* los van de grond, schiet de Mexicana-jet (oud, vermoeid, een deuk in de flank bij de passagiersdeur) in zuidelijke richting omhoog, een hemel in van het puurste blauw, langs de kust en dan de lange, flauwe bocht boven de oceaan, een eenvoudig landschap van blauwgroen water en felgroen land doorsneden met rode wegen en tussen land en water een smal wit lint van zand... Het was goed, het was mooi, die actie en die macht, die Amerikaanse portemonnee die alle problemen oploste. Betsy wil naar huis? No problemo, klap de portefeuille maar open, de problemen smelten weg.

Hij kon de palmbomen nog zien toen ze boven het water afbogen, maar raakte ze kwijt toen ze klommen: kleiner en weg, alleen nog het water beneden en het vinnige tropische zonlicht dat op de kale vleugels blikkerde. Snelheid, kracht en schittering, de aangename druk tegen de stoel toen de piloot in de lucht optrok. Die Mexicaanse piloten, RL moest het ze nageven: geen getreuzel aan het begin van de startbaan, maar vol gas, puur lawaai en kracht. Alleen maar gaan.

Het spijt me, zei Betsy weer.

Zit er niet over in, zei RL weer.

Wanneer zou het drankwagentje komen? O, maar daar was het al, rammelend in het middenpad, terwijl het lampje met de veiligheidsgordel nauwelijks uit was en van het land beneden nog details te zien waren: de auto's, bomen en huizen met pannendaken als op een modelspoorbaantje... Kon het maar, dacht RL: dat gevoel van macht, het leven bezien van grote hoogte, de meester, de enige enigszins geïnteresseerde... Hij bestelde een gin-tonic, die gratis was, waardoor hij op het idee kwam om voortaan alleen nog maar met Mexicaanse maatschappijen te vliegen.

Ik wist het, zei Betsy. Opeens wist ik het.

Ze vertelde zichzelf weer haar verhaal. Waar RL in principe niks op tegen had, hij had geen ruzie met haar, geen gekwetste gevoelens, al vroeg hij zich soms wel af of hij er ooit bij was geweest of dat het van meet af aan alleen de Betsy en Betsy-show was geweest.

Vleugels uitslaan, dacht RL. Hij had in de zakenruimte naast de hotellobby op internet gekeken en het vroor thuis elf graden, de rivieren lagen dicht, de vogeltjes vielen van de kou uit de bomen, de herten kwamen de berg af om de bloembedden af te grazen. Zijn leven kwam hem zinloos voor. Een leven van gemak en overvloed, waarom niet? Hij had zijn vaders geld op de bank, een paar miljoen, RL had het nooit aangeraakt, had zijn eigen geld verdiend. Pa, de klootzak, dacht RL. Zijn moeder huilend in de keuken. Maar ze waren nu allebei dood en RL moest zich wel heel erg vergissen als het een van twee ook maar iets kon schelen. RL kon zijn vaders geld besteden aan wat hij maar wilde zonder zijn moeder te verraden. De enige keer dat hij dat geld ooit had aangeraakt was om zijn moeder in de thuiszorg te houden, toen aan het eind, wat hem een gevoel van trots gemengd met een beetje kwalijk wraakgevoel had gegeven. Hoe ouder hij werd, hoe meer hij ze miste. Allebei.

Ik moest mijn kinderen zien, zei Betsy. Ik wist het opeens.

Nou, dat is goed, zei RL weer. Ik hoop dat je gelijk hebt.

O, zeker, zei ze. Ik werd wakker en dacht: ik ben beter. Door en door beter. Geloof me.

RL kneep de laatste druppels van zijn limoen in zijn glas en keek in de ijzig blauwe diepten van de gin. Eigenlijk dacht hij dat ze gek was. Maar dat betekende niet dat ze het bij het verkeerde eind had.

Jij weet dingen die ik niet weet, zei hij.

Dat is zo.

Ik hoop alleen dat je gelijk hebt.

Ze pakte zijn hand op de armsteun tussen hen en gaf hem een stevige kneep. Haar handen waren lang en fijn maar jaren ruw werk hadden ze sterk gemaakt.

Je bent goed voor me geweest, zei ze. Ik zal je er altijd om liefhebben. Maar je moet me geloven.

*

*Maandagochtend weer* op haar knieën in het wierookdonker van de kerk. Zij en een stelletje oude vrouwen. Zo zou June eruitzien voor iedereen die maar de moeite nam haar op te merken, het zoveelste saaie verhaal op verstandige schoenen. Ze zou nooit kinderen krijgen. June zou nooit meetellen. Een winterse ijsregen spetterde tegen het gebrandschilderde glas.

Layla hield van haar, daar was ze bijna van overtuigd. Misschien was dat het. Misschien konden ze geen van beiden tegen de dwang en de druk, de schijnverplichtingen van de liefde. Ze moest niet aan Layla denken nu: eenzaam, het ding in haar. Niet alleen het kind maar dat hele andere zelf dat uit de ravage van het oude groeide... June bleef denken dat ze gewoon weer zou opkrabbelen en haar leven zou voortzetten, zoals ze het altijd had gedaan. Ze was een dapper mens wanneer het moest – dat wist ze nu wel van zichzelf – en ze kon tegen een stootje. Ze kon afzien. Geen geweldig talent om te hebben. Ze zou liever kunnen zingen.

En moest je haar nu zien, in de kerk zat ze aan zichzelf te denken. Altijd zichzelf. Altijd het bruidsmeisje.

Jezus zweefde als een soort onzichtbare wolk om haar hoofd, ongrijpbaar, net buiten bereik. June riep zichzelf tot de orde, drukte haar handen tegen elkaar en haar lippen opeen en zette haar schouders onder dat gebed van haar, maar het bleef blind rondtasten. Nergens houvast. Alleen wensen en hoop, verhalen en beelden, het bloedend Heilig Hart en de Maagd die in haar geheel torpedovormig ten hemel was opgenomen. En June, de niet-maagdelijk niet-bevallene. *Ongezegend* zou de Bijbel haar noemen, ongezegend onder de vrouwen. De vrucht van uw schoot.

Dit werd niets.

Ze hoefde pas de volgende dag te werken. Hoefde nergens speciaal heen.

Maar daar kwam ze nog niet mee verder, het donker wilde geen antwoord geven, de grote Jezuswolk deelde niets mee... June was rusteloos, rusteloos. Ze had het gevoel dat ze ergens een weeskind moest zoeken, iets, alles wat maar zorg nodig had. Een vleugellam jong vogeltje. Ze ritste haar fleecejack dicht. Dit is June op haar negenenveertigste: een polarfleece baret, een donzig baksteenkleurig polyester jack met nep-Maya garneersel, wollen sokken en bruine gemakkelijke schoenen. Alles past in haar kleine tas: haar mobieltje, portemonnee, de verschillende medicijnen die ze moet nemen. Ze past in elkaar als een legpuzzel. Een paar stukjes ontbreken.

Buiten grijs en nergens. Ze wou voor één keer dat ze Taylor weer trombone kon horen spelen.

Ze logeert voorlopig in het Holiday Inn in de binnenstad, tot ze een huis kan vinden. Haar spullen staan verspreid waar ze ze heeft achtergelaten, bij Howard, in de opslag, in RL's garage. Ze heeft om drie uur een afspraak met een financieel adviseur om te praten over wat ze met al haar geld moet doen. Sinds vandaag heeft ze drie miljoen tweehonderddertigduizend dollar op haar bankrekening, wat niet helemaal terecht lijkt. Misschien moet ze een paar auto's kopen. Een leuk buurtje waar ze zich thuis kan voelen. Ze huilt niet, June huilt niet, maar als ze het zou doen, was dit er de ochtend voor.

Misschien trakteert ze zichzelf straks op een lunch.

Aan deze kant van de rivier heeft ze toch niets te zoeken, dus slaat ze weer de richting in van het centrum, hinkstappend door de achterstraten in de miezelregen. Deze buurten waren oud en over het algemeen nog goedkoop, beleefd aan de voorkant – allemaal gemanicuurde gazonnetjes en nette brievenbussen – maar de achterstegen hadden volop karakter, met kano's en afgedankte Bonnevilles, stapels hout, nieuwsgierige husky's, mannen die in hun ondergoed zaten te roken. De regen vulde de plassen, glinsterde op de maaimachines en ruiten. De tuinen van het afgelopen jaar lagen verlaten en bruin in nette rijen te wachten op beplanting en ergens was hier (of anders in het volgende blok) een wonderlijke wensput van beton waarin ter versiering scherven van eetborden waren gedrukt, een ervan, gedecoreerd met een haan, had bij haar grootmoeders servies gehoord, een stukje van haar servies voor altijd in beton, of tot verwering het had weggevaagd...

Een blok verderop keek een hondje naar haar om. Niet zo heel klein, wel lang en laag op de poten. Niet zo'n worsthond, maar ruwharig en alert. Hij stond dwars in de steeg en richtte zijn radaroren op haar, bek een beetje open, vrolijke ogen.

Toen draaide hij zich om en liep weg.

Hier woonde Dorris MacKintyre toch? June was er vrijwel zeker van. Ze was er een paar keer geweest, maar nooit via de achtersteeg, nooit vanaf deze kant. Gesloten gordijn voor het raam. Een kleine huivering langs haar nek: dat was misschien geen goed nieuws. Ze ging naast het huis staan en keek omhoog, zoals ze gedaan zou hebben als ze uit het raam had gekeken, en daar renden de eekhoorns van Dorris kwetterend over de draden. O, hallo, dacht ze, hallo en tot ziens.

Weer dat hondje van het volgende blok. Het leek alsof hij haar uitlachte. Vuile vacht, korte poten, lichtvoetig... weg.

O, Dorris, dacht ze. Een mooie dood. June hoopte dat hij niet lag te zieltogen achter gesloten gordijnen, soms konden ze niet opgeven. June wilde het beste voor de mensen van wie ze hield, en ze hield van allemaal. Misschien was dat haar makke. Misschien was haar hart gewoon in beslag genomen, misschien had Taylor het meegepikt en was alleen nog die algemene liefde, dat mooie gevoel overgebleven. Ze dacht weer aan Layla, aan Layla's onzinnigheden en hartstochten, verwardheden en sores, en even was June hartstochtelijk jaloers. Ze wilde alleen wat Layla had – het vermogen om zichzelf te geven, zichzelf te vergeten, te sterven, te branden. Te sterven uit liefde.

Het was een mooie gedachte.

Niets voor haar.

Dat hondje stond opeens naast haar en keek naar haar op. Hij had geen halsband om: June nam aan dat het een hij was, zo op het eerste gezicht. Hij had drie kleuren: zwart, wit, met een werkelijk prachtig honingbruin ertussendoor. Hij had ranke pootjes, zwart van de lentemodder, en een mooie witte vlek in zijn nek. Hij keek haar van een meter afstand verwachtingsvol aan.

Hallo daar, zei ze.

De hond bewoog zich niet, grijnsde alleen en keek.

Wiens hondje ben je? vroeg June.

De hond bleef haar strak aankijken, maar zonder agressie of bedelarij. June had het gevoel dat hij haar iets probeerde te vertellen. Ze begon weer te lopen, maar hij liep gewoon met haar mee. Als ze bleef staan, bleef hij staan. Als ze weer verder liep, liep hij mee.

Wie ben je? vroeg ze weer, maar de hond keek alleen maar.

Ze liep naar het eind van de achtersteeg, ging daar de stoep op en het hondje volgde haar onbekommerd op de voet. Blijkbaar had ze nu een hond. Blijkbaar was ze hondenbezitster. De bladeren van de afgelopen herfst lagen in vervagend reliëf op de natte stoep geplakt en halverwege het huizenblok stond een meisje te huilen. Ook geen kleintje, een meisje van de middelbare school of zo, met tatoeages en zwart haar. June kende dat meisje. Wie was ze?

Greta, zei ze.

Het meisje keek verrast op. Wasbeerkringen van oogschaduw liepen langs haar wangen uit in de tranen en de regen. June rende naar haar toe, zakdoek paraat, hondje naast haar.

Wat zie je eruit, zei ze, terwijl ze het gezicht van het meisje stevig begon af te vegen. Wat is er?

W-w-w-w, zei het meisje.

Praat maar niet, zei June. Ze nam het meisje in haar armen, daar op de stoep, voelde hoe ze probeerde zich los te wurmen – als een wild dier, het natuurlijke verzet – en zich dan in haar omarming ontspande. Op de ruggengraat van het meisje voelde June de inwendige schokken, stille, onwillekeurige snikken die niet helemaal naar buiten kwamen. June hield haar uit alle macht vast. Wie had hier iets aan? Voor wie was dit eigenlijk? Maar het deed er niet toe: contact was goed, en iets goeds was goed, hoe dan ook. Cirkel rond. Ze keek over de schouder van het meisje naar het hondje en zijn bruine ogen leken diepzinnig en vol medeleven.

Wat is er? fluisterde June. Wat is er aan de hand?

T-t-t-t, zei het meisje.

Wat?

Trut, zei het meisje. Laat me met rust, trut.

Ze rukte zich van June los en kromp weer in elkaar, maar June wilde haar niet met rust laten. June legde haar hand op de schouder van het meisje.

Laat me met rust, zei het meisje.

Gaat het om je grootvader?

Greta keek op, verbijsterd.

Wat weet jij van mijn grootvader?

Ik zorg soms voor hem, zei June. Ik werk bij de hospice.

O, ben jij dat.

Ja.

Nee, het gaat niet om hem. Dat is het niet.

Wat dan?

We worden op straat getrapt, zei Greta. Er zat iets van trots in de manier waarop ze het zei, iets opzettelijk shockerends. Ze zei: De 4B cafetaria is dicht en mijn moeder is haar baan kwijt.

En wat gaan jullie nu doen?

Ik weet niet.

Waar gaan jullie heen?

Greta keek haar aan alsof de vraag alleen al beledigend was, wat misschien zo was. June zag zich door de ogen van het meisje, de rijke trut die op haar neerkeek. Mensen werkten in dit leven. Mensen hadden niet zomaar geluk. Ook al had June ruzie met haar geluk. Een appeltje te schillen.

Is het alleen het geld?

Greta haalde haar schouders op.

Nou, dat is makkelijk, zei June. Ik heb geld.

Greta keek haar aan alsof ze een oneerbaar voorstel had gedaan en June voelde zich ineens helemaal naakt. Het was iets wat goed was om te doen – god weet dat ze geld had – maar het was verkeerd, alleen al omdat zij nu de macht had en dit meisje alleen maar moeilijkheden. Het was op haar neerkijken. June had geruststelling nodig, bevestiging, en ze bukte zich om het hondje op zijn flank te kloppen, het hondje dat haar achterna was gelopen.

*Pas op*, zei Greta.

Maar het was te laat. De hond had al in haar hand gebeten – een plotselinge, nijdig grauwende uitval – en rende meteen weg naar de parkeerstrook, waar hij naar haar bleef kijken, met zijn nekharen overeind, voorbereid op slaag.

Ze hadden daar een kind, een jongen, zei Greta. Die was niet helemaal goed. Hij zat altijd met een bezemsteel achter die hond aan.

June keek naar haar hand om te zien of die bloedde en dat was zo, maar niet erg.

Wie deed dat?

Hè?

Van wie was die jongen, de hond, de bezemsteel?

Van de familie Frey, zei Greta. Ze woonden daar op de hoek. Het waren rotmensen.

Ze zijn gewoon weggegaan, zei June.

En hebben de hond achtergelaten, zei Greta. Wij geven hem te eten. Net als iedereen hier.

Hoe heet ze?

Hij.

Hoe heet hij dan?

Spode, zei Greta.

Spode, zei June. Ze keek naar de hond die slaag verwachtte. Het was geen ideale hond. Hij was niet haar probleem. Ze keek naar de hand die hij had gebeten en wist dat Spode andere mensen zou bijten. Er zouden ruzies van komen, dreigementen, onaangename verrassingen betreffende de aard van de mensen die ze kende. Door deze hond zou ze een paar kennissen kwijt kunnen raken, dacht ze.

Kom hier, jongen, zei ze.

*

*Nou*, zei RL.

Niet zeggen. Helemaal niks zeggen.

Best.

Even niet.

In de modder en de sneeuw onder aan haar weg, tussen skeletachtige bomen en elzen. Op een kleine open plek. Vrachtwagens raasden onzichtbaar langs op Highway 35, een meter of wat verder, een aangereden hert lag bevroren op de strooicontainer. RL stopte om naar de lage vierwiel te schakelen zodat hij de moddergladde steile weg naar haar huis op kon. De pook klikte in zijn stand, hij keek opzij, en daar zat ze. Het volgende moment kusten ze.

Lijkt wel een droom, zei ze, en RL zei: Mexico.

Zo ver weg.

Weet je zeker dat je…

Betsy lachte. Arme Robert, zei ze. Wat je ook had gewild, ik weet zeker dat het dit niet was.

Je hoort mij niet klagen, zei hij.

Weet ik.

Dit was precies wat ik in gedachten had, zei hij. Al die tijd.

Het heeft me gevonden, zei Betsy. Ik had het zonder jou niet gekund. Het heeft me gevonden en het zal jou vinden.

Wat?

De genade. Ik was ooit verloren maar nu ben ik gevonden.

Plotseling die vurige, uitzinnige behoefte om te geloven, ergens diep in hem. Ze had gelijk, ze moest gelijk hebben om te genezen. RL had het gevoel dat er daar iets was, iets wat hij niet kon benoemen, wat naast hem stond. RL voelde zich *licht*.

Het zal jou vinden, zei Betsy.

*

*Na het proberen,* mislukken, liefhebben, verkloten, keert RL terug naar huis. Naar *het* huis, verbetert hij zichzelf; dan verzachtend: zolang Layla er is, is het thuis. Daarna, februari.

We gaan vandaag vroeg aan de borrel.

Hij heeft zich belachelijk gemaakt. Iedereen weet het – June en Layla, zet maar in de krant! Ze hadden allemaal gelijk en hij had ongelijk. Een pleefiguur voor iedereen. Zijn bagage van Mexico ligt nog achter de voorbank en even is hij geneigd terug te rijden naar de luchthaven, de eerste de beste vlucht ergens heen te pakken. Met een klap terug in de gevallen wereld, denkt hij. Waar al het muffe, saaie en alledaagse op hem wacht. Zij was zijn vrijgeleide, zijn ontsnapping. Nu is ze ervandoor zonder hem.

Een gevoel vanbinnen dat hij graag wil uitkotsen. Geen richting, geen volgende stap.

RL vloekt hardop, slaat met de palm van zijn hand op het stuur.

RL denkt aan teruggaan, weer de lange weg op naar haar huis. Maar je kunt iemand niet van zichzelf redden. Ze wil niet gered worden. Ze wil alleen gelaten worden met haar kinderen en de vreselijke Roy. RL begrijpt het niet, maar zijn onbegrip verandert er niks aan. Hij staat weer alleen op de wereld.

Alleen: en zonder vooruitzicht.

RL weet niet wat hij wil, behalve dat hij een borrel wil. En daar heb je de Clearwater Bar! Is dat boffen!

Buiten is de hemel parelgrijs, donkerend naar de avond, er zit sneeuw in de lucht. RL is nog tachtig kilometer slechte, bochtige weg van huis. Eentje maar, denkt hij. Een gedachte die hij wel meer heeft gehad, hij weet het. Misschien moet hij een hond nemen. Een reden om te leven. Layla, vermaant hij zichzelf: reden genoeg. Te veel auto's op de parkeerplaats voor deze tijd op een dinsdagmiddag en tingelmuziek die door de ingang lekt, geven RL een slecht voorgevoel.

Kip met noedels? vraagt de man op de kruk bij de deur.

Ik wou alleen wat drinken, zegt RL.

O, wat je maar wilt, zegt de portier, een oudere heer met te witte valse tanden. Ik zeg je alleen dat het kip-met-noedelsavond is. Als je trek krijgt, kom je hier maar terug en betaal je mij. Vijf dollar! Zo veel je kunt eten!

Doe ik, zegt RL. Zijn boze droom wordt in golven bewaarheid, een kroeg vol oude mannen en vrouwen, allemaal in polyester western klederdracht, het soort dat niet verslijt, parelmoeren drukknopen bij de mannen en borduursels, zelfs wat ruches bij de dames. RL is hier met ruim tien jaar de jongste. Iedereen rookt, iedereen drinkt whisky met water of ginger ale, in de jukebox zingt Merle Haggard met de Strangers, klapdeuren, een jukebox en een barkruk... en iedereen met een bord dampende kip, goudgele jus, dikke witte noedels en erwtjes voor zich. RL wachtte aan de bar op zijn beurt – drukke avond, de barjuffrouw loopt zich de benen uit het lijf – en dacht terug aan de kantine op zijn middelbare school, diezelfde etensgeur, al was die hier vermengd met het gemorste bier, de lysol en sigarettenstank van een arbeiderskroeg.

Hij voelt dat de avond hem inspint als een koortsdroom, onwezenlijk en kwaadaardig, de lachende gezichten en de ruis van kroeglawaai. Zwijgend, maar met een veelzeggende blik brengt de barjuffrouw hem een Daniel's met ijs, neemt zijn geld aan en brengt hem het wisselgeld, maar wanneer ze de munten overhandigt, kijkt ze hem indringend aan, alsof er een heel andere valuta wordt uitgewisseld... haar handen zijn in ieder geval lang en slank met fijne, spitse nagels, mooi, afgezien van het dikke rode litteken over de rug van haar linkerhand. In het hout van de toog zitten diepe schrammen, die er jaar in jaar uit door oude mannen met hun kwartjes zijn ingewreven, krassen en groeven in oud hout, dat door de liefdevolle vingers van de oude mannen, overdagdrinkers en tijdverknoeiers glad gepolijst is. RL weet dat het slechts bijkomstige schade is, slechts de uren en kilometers sinds Mexico – was dat nog maar vanmorgen? ja verdomd, verdomd –, maar er slaat iets in hem neer, sluipenderwijs, als een soort subtiel vergif.

Dan beginnen twee paren te dansen, alleen is het nauwelijks dansen wat ze doen, alle stappen van een dans, maar zonder gratie, zonder ritme, zonder vloeiende beweging, een reeks stilstaande beelden schokkerig aan elkaar gelast, en een uitdrukking van grote ernst, bijna van pijn op de gezichten van de mannen. Kip met noedels, denkt RL, kip met noedels. De vrouwen met hun vlezige, noedelbleke wangen. Glimlachend kijken ze op naar hun starre partners maar de glimlach ligt slechts op het vel van hun gezicht, is slechts een masker voor iets diepers, iets wat ook in RL zit, de zekerheid van verlies. Als een klok die een klok aan het klinken brengt, wordt dit leed van één brein naar de resonerende stilte gezonden. Ze is weg. Ze komt niet terug. Hij is alleen. *Alleen*, echoot het gezicht van de boerin in haar western jurk, die als een vermoeide bokser de dansvloer rondgaat. Alleen, zeggen de handen van de barjuffrouw, de geur van kip met noedels, de rook die in vaste lagen in de warme lucht van de kroeg hangt.

RL maakt zijn glas leeg en gaat naar de uitgang.

Je komt wel terug! zegt de portier. Niemand komt maar voor één keer kip met noedels eten. Iedereen komt terug.

Het droomgevoel verlaat hem zelfs niet buiten op het parkeerterrein, zelfs niet als hij weer op de weg zit. Koplampen aan, de middag wordt donkerder, hij heeft het gevoel dat hij er zo zijn hand doorheen kan steken, slap als nat papier. Even later gaat het sneeuwen, de afzonderlijke witte vlokken stromen en zwemmen door zijn voorlicht. Daar zit hij weer, weer in de wervelwind. Daar zit hij weer en weg is hij.

*

*Ik mocht hem niet* meenemen in het motel, zei June.

Nee, zei Layla. Kom binnen.

Bovendien miste ik je.

O, jezus.

Wat?

Ik jou ook.

De sneeuw dwarrelt neer op de natte straat achter haar, een paar vlokjes smelten in haar haar.

*

*Hij staat te pissen* op een platte, ronde steen terwijl de sneeuw overal om hem heen door de zwarte bomen valt en de Blackfootrivier zeven meter verderop over een ondiepte tuimelt. Waar is Kerstmis gebleven? Alleen in het bos.

*

*Alleen op zijn atelier,* een uitgespaard kamertje aan één kant van de garage – maar van hem, alleen van hem – ziet Edgar dat de echte winter is begonnen, parelgrijze luchten en witte sneeuw. Laat maar komen, denkt hij. Laat de sneeuw tot aan de dakrand komen, laat de rivier dichtvriezen. Wis de hele stad uit met één vlaag zuiver wit. Laat hem *wegvagen.*

Hij overweegt de radio aan te zetten, besluit het niet te doen. Overweegt naar het huis te lopen om een kop thee te maken, wat lekker zou zijn. Maar Amy en het meisje doen hun middagdutje, dat was tenminste een paar minuten geleden zo, en hij wil ze niet wakker maken. Vier uur. Er staat een hotelkoelkastje in de hoek met een paar flesjes bier erin, goed bier. Vier uur is een beetje vroeg. Maar niet écht vroeg. En bovendien sneeuwt het, een vakantiegevoel, even pauze van het dagelijkse leven. Een wervelende, vochtige sneeuw, dikke vlokken die naar beneden zweven, sneeuwbolsneeuw...

Een biertje dus. Hij maakt het open en bekijkt het werk op zijn tekentafel, een potloodschets van haar gezicht. Hij heeft haar al een maand niet gezien, maar hij schijnt er niet mee op te kunnen houden. Het is een beetje obsessief, hij weet het – pulken aan de zere plek, de afwezigheid, net zo lang tot het pijn doet – maar het is ook een soort meditatie geworden. Steeds hetzelfde gezicht, maar nooit twee keer hetzelfde. Net als bij het weer spelen de kleine vleugjes gevoel over haar gelaatstrekken, een beetje gelukkig, een beetje geërgerd, de oneindig fijne nuances van gevoel en alles met elkaar vermengd. Deze zou een herinnering aan de veerboot naar het eiland kunnen zijn: blij en opgewonden, de zeebries die haar bloed prikkelt, maar een beetje bang, twijfelend... Het was gewoon makkelijker te tekenen dan te verwoorden, omdat woorden alles van elkaar scheidden, alsof het verschillende dingen waren, maar op haar gezicht waren ze bij elkaar gewoon één ingewikkeld gevoel. Het gezicht: waar zich iets van de innerlijke persoon, de onkenbare vreemde, aan de wereld toont. Het was er allemaal, je hoefde alleen maar te weten hoe je moest kijken.

Misschien kan hij haar door het raam zien als hij aan de overkant van de straat staat.

Misschien is ze al terug naar Seattle.

Met mobiele telefoon, sms, internet en chatten is het bijna moeilijker elkaar te ontlopen dan contact met elkaar te houden. Je moet het bewust willen. Edgars wil werkt slechts met tussenpozen. Ze is al van Facebook verdwenen. Het laatste contact was een sms'je dat hij haar om drie uur 's nachts stuurde: *Waar ben je?* en haar flauwe antwoord: *Hier.*

Hij begrijpt dat hij haar moet zien.

Hij begrijpt dat hij geen smoes heeft. Hij gaat gewoon. Ergens heen. Naar buiten. Andere kant van de deur. Hij bedenkt wel iets om het Amy later uit te leggen, of niet.

Gelukkig heeft hij zijn waterdichte wandelschoenen, zijn winteruniform, al aan en heeft hij zijn wollen jas en zijn ijsmuts klaarhangen. Hij zet zijn bier weg op de boekenkast bij de deur en stapt de melkachtige middag in, de stille pakkende sneeuw. Hij draait zich om aan het begin van de achtersteeg en ziet dat de sneeuw zijn voetstappen bijna heeft uitgewist. Uitwissen, denkt hij. Maak het weer nieuw. Maak het schoon.

*

*En wanneer RL ten slotte thuiskomt,* het laatste stuk van Bonner naar de stad een hoop gesodemieter, een stuk of tien ongelukken op de sneeuwgladde snelweg en de zwaailichten door de kletsende sneeuw – spoedgeval, spoedgeval –, daarna sukkelend door de universiteitswijk waar gek geworden hippies onzichtbaar door de sneeuw fietsen, en hij de lange heuvel op rijdt, verwacht hij dus niets, maar ziet alle ramen verlicht en voor het huis een vreemde Prius, of is die van June? En wie is dat andere hoofd achter het woonkamerraam?

Al dromend pakt hij vanachter de voorbank zijn koffer, warm geworden door de heteluchtblazer en ruikt de kokosgeur van zonnebrandolie. Allemaal binnen een dag. De wereld lijkt klein en onzinnig en RL weet niet wat hij erin moet. Maar in ieder geval is hij thuis, eindelijk thuis.

Het gesprek valt prompt van tafel wanneer hij de deur binnenkomt. En krijg het nou: Edgar.

June zegt: Welkom thuis, hallo.

Layla zegt: Hoe was het in Mexico?

Edgar zegt helemaal niets.

RL kijkt als in een droom van het ene naar het andere gezicht. Allemaal in een kring zonder hem.

Wat is er? vraagt RL. Wat is er aan de hand?

Ze kijken van gezicht naar gezicht, allemaal naar elkaar en geen van hen naar hem. Uiteindelijk keert June zich naar hem.

Je ziet er hondsmoe uit, zegt ze.

Kom, zegt RL. Is er iemand dood? Wie is er dood?

Er is niemand dood, zegt June. Er is niets ergs gebeurd.

Kom, zegt RL, en kijkt Edgar aan, godbetere zijn werknemer, die moet het hem vertellen, doet een stap om Edgar bij zijn overhemd te grijpen en de waarheid, wat die ook is, uit hem te schudden.

Er ligt niemand in het ziekenhuis, zegt June.

Layla zegt: Ga zitten. Ga zitten voor je omvalt.

Ik sta goed zo.

Je ziet eruit als een geest, zegt zijn dochter. Ga zitten.

Dat wil hij niet. Maar hij doet het toch, neemt een stoel aan de keukentafel. June neemt daar ook een stoel, en Layla brengt hem een glas water en gaat er ook zitten.

Edgar zegt: Ik moet er echt vandoor.

Nee, zegt Layla. Blijf.

Edgar kijkt angstig van haar gezicht naar dat van RL en terug, maar hij gehoorzaamt. Neemt een stoel aan de tafel. Net poker, denkt RL, met zijn vieren in een kringetje. Net Indian poker, denkt hij, waarbij iedereen behalve jij weet wat je in je handen hebt.

Ik ben zwanger, zegt Layla. Dat is alles.

Het nieuws slaat in zijn lichaam in, in zijn buik, de plek waar ook Betsy pijn deed. Hij is tekortgeschoten. De anderen kijken allemaal naar hem en RL voelt zich bloot, hulpeloos onder hun starende blik. Daarom was hij er, zijn hele reden van bestaan is om voor haar te zorgen, haar te beschermen. Daarin is hij tekortgeschoten. In al hun ogen.

Nu begonnen de vrouwen voor hem te zorgen. Ze keken hem vriendelijk en bezorgd aan. Meer dan hij kon verdragen.

Keek toen naar Edgar, en begreep waarom die aanwezig was. Edgar wilde hem niet aankijken.

Jullie tweeën, zei hij, met een hoofdknik naar Layla, Edgar, terug naar Layla.

Al een tijd, zei Layla.

Die vrouwelijke manier om plompverloren de waarheid

te zeggen. RL had er schoon genoeg van. Hij verlangde naar zijn illusies – dat hij gelukkig was, dat hij geliefd was, dat hij voor zijn mensen zorgde, dat hij zijn mensen zelfs kende. Hij keek van het ene naar het andere gezicht en wist dat het een leugen was. Een leugen die hij koesterde. Een sliert leugens.

En jij, denkt hij, als hij zich naar Edgar keert, die hem nog steeds niet aan wil kijken: hoe zit het met jou, Edgar?

Wat heb je voor excuus? vraagt RL hem.

Niet veel.

Wat vindt je vrouw ervan?

Dat steekt hem. RL ziet het met enige voldoening.

Amy weet het niet. Ik denk niet dat ze het weet.

Ga je het haar vertellen?

Ik weet niet wat ik zal doen, Robert. Ik weet het echt niet. Ik denk dat ik nu maar ga.

Hij draait zich naar June, die hier kennelijk de lakens uitdeelt. Hij vraagt: Is dat oké? Ik had allang thuis moeten zijn.

Ja, ga maar.

RL ziet hem Layla's blik zoeken maar die wil ze niet beantwoorden. Hij heeft haar gekwetst, ziet RL. Zijn dochter gekwetst.

*

*Ga, probeert Layla* hem te zeggen. Ga nou. Ze probeert hem de deur uit te kijken, maar er aarzelt iets fataals. Edgar! Haar arme kleine hart bonst vol angst. Ga!

Die verschrikkelijke stilte. Er gebeurt niets. Alles staat te gebeuren.

Ik hou van je, denkt ze. Fluistert het dan, niet helemaal hardop, zoals ze vroeger bad: Ik hou van je.

*

*En June de* weerhoudende hand op zijn onderarm en hij merkt het, ze raakt hem aan, en even zou het kunnen werken, zou hij kunnen stoppen, maar hij stopt niet.

*

*En Edgar staat buiten* in de vlagende wervelende sneeuw vol donkere en dikke afzonderlijke vlokken tegen het verandalicht, hij is buiten en alleen, met een gevoel ontsnapt te zijn. Niet slechts aan RL maar ook aan de vrouwen, en aan de onmogelijkheid. Aan zichzelf misschien. Een laatste blik achterom voor hij de ren inzet, naar huis, dat korte moment van aarzeling...

En net op dat moment slaat de deur naar buiten open en stormt RL er als een neushoorn in de aanval doorheen, in één beweging naar Edgar en allebei naar de grond, vechtend in de natte sneeuw. Iemand stompt Edgar in de maag. De smaak van bloed in zijn mond, zijn hoofd op tilt totaal in verwarring, de vrouwen kijken op de veranda en Edgar wil hier wegwezen. Hij staat op – probeert op te staan – de sneeuw glijdt onder zijn voeten weg en RL raakt hem in het gezicht. Bloed en snot spetteren over de witte sneeuw, en nu, denkt Edgar, moet het uit zijn.

RL doet een stap terug om het effect van zijn klap te bewonderen, bloed in het verandalicht, bloed op de sneeuw, als Edgar hem verrast met een korte karateslag op de adamsappel gevolgd door zes dreunen in zijn dikke, zachte buik. RL gaat neer als een zoutzak. Edgar schopt hem tegen de zijkant van zijn hoofd en hij is buiten westen. Dat laatste is extra. Edgar had het nooit zo bedoeld, maar zijn bloed kookt, een waas voor zijn ogen.

Layla gilt bij de schop, dierlijk, iets korts en scherps dat uit haar losscheurt.

Nu is het genoeg, zegt June.

Dan is het voorbij. Bloed druipt over de voorkant van zijn hemd en RL ligt roerloos in de sneeuw. Edgar staat te hijgen. June komt erbij en knielt naast RL in de sneeuw.

Is hij... zegt Edgar.

Maak dat je wegkomt, zegt Layla. Ga nou.

Nog aarzelt hij.

Ik bel de politie, zegt Layla. Serieus.

Hij kijkt naar haar maar voelt zich dood. Hij keert zich om, wil gaan, draait zich terug, wil kijken, maar er is daar niets voor hem, geen warmte, geen licht, geen nieuwsgierigheid. Over sommige dingen kom je nooit heen, denkt hij. Aan sommige dingen komt gewoon een eind. Hij stapt het donker in, begint te rennen, want het is te koud om te lopen, het bloed jaagt nog door hem heen, zijn gezicht is er nat van. De smaak van bloed in zijn mond. Dit einde van iets, denkt hij. Sneller.

*

*Later: RL ligt in zijn grote lege bed.* Hij moet een tijdje hebben geslapen, maar nu is hij klaarwakker. Het is donker achter de ramen, een kiertje licht komt vanonder de gesloten deur. De wind fluit om het huis. Soms hoort hij de vrouwen zachtjes bezig op de verdieping beneden, ze willen hem niet storen, niet wakker maken. Hun gedempte stemmen, zachte bewegingen.

Alsof er iemand dood is, denkt hij.

Dit einde van iets.

En waarheen van hier af? Hij zag het aan het gezicht van zijn dochter, aan het gezicht van June: ze waren hem zat. Vol afkeer. Hij was ook niet bepaald gek op zichzelf, nu even niet. Zijn luchtpijp brandde en deed zeer. Een flink blauw oog. Knetterende koppijn. Hij verdiende niet minder. Wat nu? Maar hij zag slechts lijdzaamheid, een lege ruimte, een reeks van dagen om door te komen.

Layla en haar kind. Wat moest hij voelen?

Hoop en een licht dat snel uitdooft. Ze houdt het niet, ze zou het niet kunnen. Uiteindelijk wordt het een zoveelste verwonding, een nare ervaring, stop die maar in een pot tegen het stinken. De laatste jaren van zijn huwelijk met Dawn. Misschien Betsy, binnenkort. Zoveel wat met liefde en licht en hoop begon en dan op niets uitliep, of erger dan niets. Hij heeft zich slecht gedragen tegenover Dawn, slecht tegenover Edgar. As, roest, een smaak van kopergeld in zijn mond. Spoorwegvuil dat naar aardolie ruikt. Vanbinnen voelt hij zich als de rand van de stad die afbrokkelt tot olieopslagplaatsen, woonwagenkampen en rangeerterreinen. Stukken gebroken glas glimmend in het grind met laaghangende elektriciteitsdraden erboven, niet eens de hel, alleen verlaten en onverzorgd. Wat hij van zichzelf heeft gemaakt. Niemand anders dan hijzelf heeft dit gemaakt. Hij zou hier niet kapot aan gaan, dat wist hij: hij was te koppig en te stom voor zelfmoord en hij zou zich niet dooddrinken, dat wist hij bijna zeker. Dat had hij niet gedaan toen het met Dawn afliep. Maar toen had hij Layla, Layla om voor te zorgen, de liefde van een kind om hem op de been te houden. Waaraan zou hij nu steun hebben?

RL doet dramatisch. Hij heeft Layla nog steeds om voor te zorgen.

Maar niet hetzelfde, niet het dagelijks gedoe van school en ontbijt. Ze begaat nu haar eigen fouten. En het is RL's taak om los te laten, niet om vast te houden. En ze heeft zijn zwakte gezien, zijn stommigheid en gewelddadigheid gezien. Hij voelt in het donker zijn gezicht rood worden, al is er niemand tegenover wie hij zich daarvoor hoeft te generen. Hij is nu alleen, in een donkere kamer, wakker en gloeiend van schaamte. Alleen.

Alleen; tenminste, zo lijkt het.

Het duurt even voor hij beseft dat de deur een paar centimeter openstaat, een reepje licht, flauw maar concreet in de donkere slaapkamer, een van de vrouwen staat daar naar hem te kijken. Wie? En hoe lang al? Hij dacht even dat hij misschien had geslapen, maar nee. Alleen in beslag genomen door zijn eigen zelfmedelijden en ellende.

Hij richt zich op een elleboog op om te zien wie het is.

June komt de slaapkamer binnen, sluit de deur met een stevige klik achter zich, komt naar zijn bed en gaat naast hem liggen, zonder hem aan te raken. De andere kant van het bed, en het is een groot bed, een California King. Ze liggen allebei op hun rug, kussen onder het hoofd, ogen naar het plafond, adem te halen.

Ik heb er wel een zootje van gemaakt, zegt June.

RL denkt erover na en zegt: Niet meer dan ik.

Nee, zegt June. Niet meer dan jij. Maar wel een zootje. Al dat geld en niets om naartoe te gaan.

RL staart naar het donkere plafond, allebei alleen met hun gedachten. Tijd voor je middagdutje, denkt hij, als hij zich middagen uit de verre uithoeken van zijn jeugd herinnert, het geluid van spijkerbroeken die beneden in de wasdroger draaien, de geur van strijken.

Je kunt hier blijven, zegt hij uiteindelijk. Zo lang je wilt.

Dank je.

Nee, ik meen het, zegt RL. Layla is dol op je. En god weet dat ik de steun zou kunnen gebruiken.

Ik heb erover nagedacht, zegt June; en iets in haar stem verrast hem, een soort nieuwe emotie of klank, hij kan er de vinger niet op leggen.

Ze zegt: Dit moet ophouden, weet je? Ik heb erover nagedacht. Er is gewoon te veel verdrietigheid, te veel verwarring. Je kunt niet de ene dag op de andere stapelen om je leven te redden. En ik ben geen haar beter. Ik dacht altijd van mezelf dat ik beter af was, maar dat is niet zo. Altijd die wervelwind. Het moet ophouden.

*De wervelwind*, denkt RL. *Gevangen in de kloterige maalstroom.*

Hij zegt: Ik weet het. Maar wat kun je eraan doen?

Daar heb ik over nagedacht, zegt June. Dan, tot zijn grote verrassing, vlecht ze haar kleine koude hand in de zijne.

RL begint te huilen. Ze ziet het niet.

We gaan voor elkaar zorgen, zegt ze. We gaan het proberen.

RL houdt haar hand vast terwijl hij wacht tot zijn zwakke moment voorbij is en hij weer veilig kan praten. Een moment dat uitloopt tot drie, vier minuten. Kip met noedels, zegt een stem in zijn hoofd. Kip met noedels, kip met noedels, kip met noedels, maalt het tot het eindelijk langzaam wegsterft.

Kan dat zomaar? vraagt hij. Kun je zomaar door te proberen zorgen dat er werkelijk iets gebeurt?

Dat weet ik niet, zegt June.

Slechter dan ik het nu doe, kan niet, zegt hij.

We hebben geprobeerd om niet te proberen, zegt ze. We hebben geprobeerd te leven met wat het toeval ons bracht. Zo zijn we op dit punt beland.

Nou, zegt RL. We zullen er wel achter komen.

Dat zullen we vast.

Ze geeft zijn hand een subtiel kneepje en RL vindt het opwindend. Meer dan hij had verwacht. Zoveel meer dan hij met enig recht mocht verwachten. Hij voelt diep in hem een traan opkomen.

Dan zwaait de deur open en valt Layla binnen, die hen niet ziet in het donker, hen niet zo verwacht, hun handen vliegen als losse vleugels uiteen terwijl haar ogen aan het donker wennen en dan ziet ze hen daar op het grote bed.

Ik vroeg me af waar jullie heen waren, zegt ze.

RL probeert te bedenken wat hij zou kunnen zeggen,

maar het hoeft niet. Zijn dochter zet de deur op een kier, een streepje schemer om hun drieën bij te lichten en schuift dan zelf tussen hen in op het bed met haar hoofd naar het voeteneind. Laat zich gewoon plat neerploffen.

Na een minuut zegt ze: Ik heb er zo'n zootje van gemaakt.

En Layla is verbaasd wanneer zowel June als haar vader beginnen te lachen, hard en hartelijk lachen.

Wat? zegt ze. Wat is daar voor lolligs aan?

Maar op dat moment kan geen van twee ophouden om het haar te vertellen: hun lach voedt zich ongezond met zichzelf zoals de lach bij een begrafenis of ongeluk, maar toch aanstekelijk en na een tijdje van giechelen en bedaren barst het lachen weer los, Layla doet mee, tegen haar wil, tegen haar eigen verdriet in, maar ze lacht en June en RL lachen en Spode, het hondje, Spode hoort hen en duwt met zijn snuit de deur verder open en ziet hen met zijn drieën op bed en weet in zijn hondenhart dat hij daar bij moet zijn. Hij laat zich niet meer buitensluiten. Vanuit de deuropening neemt hij een aanloop en springt op het bed en niemand heeft op dat harige projectiel vol tanden en speelsheid gerekend en dat brengt hen weer op gang en nu zal het wel even duren voor het lachen ophoudt.

*

*Lente, hij zag het eerste teken* op de heuvel boven de stad in de vorm van een sneeuwlelie, een gele klokbloem, klein en verlegen tussen het onkruid. Edgar stopte met hardlopen om ernaar te kijken, maar toen hij stilstond sneed de wind door hem heen. Door zijn nylon jack heen kon hij de naderende sneeuw voelen. Donkere wolken, regen of sneeuw, in de verte boven Lolo.

Maar toch, lente.

Hij rende in volle vaart door het Cherry-ravijn, langs de hondenuitlaters en vogelaars, verschrikte onder het rennen een zwerm sialia's, kleine explosies puur felblauw in zijn ooghoeken, ook een paar roodborstjes en de alomtegenwoordige kraaien. Op steile stukken van het pad deed rennen pijn aan zijn knieën maar dat wilde hij, een beetje. Glijdend en schuivend over het grind, rekenend op de zwaartekracht om op de been te blijven, passeerde hij de vogelaarster met de grijze vlechten die hij bijna elke week tegenkwam, een laatste lente misschien. Ze keek alsof ze iets wist, alsof ze hem iets te vertellen had, maar ze glimlachte hem alleen op een veelbetekenende manier toe terwijl hij langs haar schoot. Haar verrekijker en wandelstokken. Oud zijn, en dan zo elegant, alert en geïnteresseerd zijn. In weer en wind buiten zijn, met haar parka om haar middel geknoopt.

Hij was niet naar het nieuwe huis geweest, maar hij wist waar het was door het op internet op te zoeken. Hij had het vanuit de ruimte gezien, de groene metalen dakbedekking.

Als hij geen zelfmedelijden had, vond Edgar dit een prachtige wereld met mooie mensen erin, en af en toe een wonder.

Wat een chique straat was dit trouwens. Vlak naast het riviertje. Een en al rood hout en privéhekken, dikke Toyota-SUV's op de oprijlanen, kleine Mini's, speelgoedauto's, auto's om mee te spelen. Mooie vrouwen die in tuinkleding aan het tuinieren waren. Edgar had dit nooit gezien als een stad van mensen met geld – ze waren op zichzelf, de mensen met geld, en liepen er niet zo mee te koop. Ze zaten in hun chalets in het skigebied of hier, met een lieflijk riviertje dat door de achtertuin liep en aardige, rustige buren. Ons soort mensen, dacht Edgar. Mensen met een makkelijk leventje.

RL was er nu een van. Edgar werkte niet meer in de hengelsportwinkel en dus ging het hem eigenlijk niet aan, maar toch, een teleurstelling. Hoe kwam hij aan dat geld?

Het huis zelf was best mooi: plezierig, redelijk. Het was aan de buitenkant voornamelijk van roodbruin hout en niet te chic, met een paar zonnepanelen op het dak en bomen eromheen. Het huis ernaast was gigantisch en wit met koloniale zuilen rond de hele veranda, maar afgezien daarvan leek RL's huis een redelijke plek, een plek waar iemand gelukkig zou kunnen zijn. Een meisje. Hij had haar drie maanden niet gezien.

Waar een meisje als zij gelukkig zou kunnen zijn zonder hem.

Hij had haar sinds die avond niet meer gezien. Nu stond hij aan het eind van het tuinpad te twijfelen. Hij wist niet wat hij moest hopen. Hij wilde niets van haar. Hij wilde haar niet eens storen en hij wist dat zijn aanwezigheid haar zou storen. Het beste zou zijn om gewoon weg te gaan, terug naar de rivier en daar oversteken, terug naar het huis aan de zuidkant. Hij zou haar moeten vergeten, zoals zij hem vergeten was.

Maar er was daar iets concreets, een trouweloosheid. Dit was het geluk zelf. Ze hadden elkaar gelukkig gemaakt als ze elkaar niet ongelukkig maakten, wat meestal het geval was geweest. Toch was het wezenlijk en hij kon niet zomaar weglopen. Wegvluchten.

Hij kon ook niet bewegen. Was aan de straat geplakt als een stuk afgedankte kauwgom.

Zijn voeten brachten hem naar de deur, onwillig en gewillig en onzeker. Dit nieuwe huis waar ze woonde. RL zou er kunnen zijn, daar was Edgar bang voor, al geloofde hij dat RL hier niets van wist. Dit was gevaarlijk en stom. Edgar zelf: gevaarlijk en stom.

De deur ging open voordat hij er was en de kleine hond sprong blaffend op en neer tegen de hordeur.

Spode, zei de vrouw. Spode! Af, jij.

Ik was op zoek naar Layla, zei Edgar.

Ze is er niet.

Een andere keer, misschien? Ik zou…

Nee, zei June. Ze maakte de hordeur open en het hondje schoot op hem af, niet zo'n kleine hond, eigenlijk, maar alert en gehaaid. Felle oogjes. Hij wilde tegen Edgars been opspringen, maar weerhield zich ervan door de nodige beheersing te tonen.

Junes gezicht stond vriendelijk. Ze zei: Ze is er niet, Edgar.

Is ze in de stad?

Nee, zei June. Nee, ze is er niet.

Is er enige mogelijkheid om met haar in contact te komen?

Ik denk het niet, zei June. Ze moest er een tijdje uit. Het is een zware winter voor haar geweest.

Ja, zei Edgar, ik weet het.

Maar hij wist niets, hij zag het aan haar gezicht, die bijna-minachting. Zij wist, hij niet. Ze wist dat hij niet wist.

Hij voelde zich klein worden – maar het was niet haar bedoeling om onvriendelijk te zijn. Ze stak haar hand uit en legde die op zijn arm.

Ik zal haar laten weten dat je haar bent komen opzoeken, zei June.

Dank je, zei Edgar. Is RL...

Hij zit in Costa Rica, zei June, bouwt huizen voor de armen. Habitat for Humanity. Ik weet het! Helemaal niks voor hem, hè?

Weet ik niet, zei Edgar.

Ik denk dat hij er zelf ook versteld van stond, zei June. Nou ja, kom op, Spode. Naar binnen.

Het hondje – een fraai hondje, een kleine haaibaai – keek Edgar nog één keer onderzoekend aan om zeker te weten dat hij het huis niet tegen hem hoefde te verdedigen. Toen draaide hij zich om en liep door de open hordeur, June haalde even haar schouders naar hem op, liet de hordeur dichtklappen en sloot de deur erachter. Er zat niets anders op dan rechtsomkeert maken. Hij liep naar de straat, koude wind wakkerde aan vanuit het zuiden. Hij mocht van geluk spreken als hij zonder regen of zelfs sneeuw thuiskwam. Op straat wierp hij nog een blik achterom voor hij weer begon te rennen, een blik achterom naar het huis met zijn omlijsting van bomen en zijn zonnepanelen en daar op het dak, hij had het niet eerder opgemerkt – op de punt van het huis stond een natuurstenen schoorsteen, en terwijl hij keek kwam er één wolkje witte rook uit. Alleen dat, één ademstootje en verder niks. Toen draaide hij zich om en begon weer te rennen. Maar het hele stuk naar huis verwonderde hij zich erover, zag hij het voor zich: een rafelig wolkje wit tegen de donkere voorjaarslucht, een beetje damp van niks, en toch herkende hij het: het begin van iets.

# *Colofon*

*Alles* van Kevin Canty werd in opdracht van
Uitgeverij De Harmonie gedrukt door
HooibergHaasbeek te Meppel.

Oorspronkelijke uitgave *Everything*,
Nan A. Talese/Doubleday, New York

Omslag Rob Westendorp
Afbeelding omslag © Mikhail Sabourenkov, Moskou
Typografie Ar Nederhof



ISBN 978 90 6169 949 1
Eerste druk november 2010

www.deharmonie.nl

De vertaler ontving voor deze vertaling een werkbeurs
van het Nederlands Letterenfonds.

HANDBOEKBINDERIJ
A C G
DORP Nr. 2
KONINGIN FABIOLA
DEURNE
TEL. 03/320.40.20